TRENTE-SIX MISÈRES

Rachel Van DenDeck

TRENTE-SIX MISÈRES

roman

CARTE BLANCHE

Les Éditions Carte blanche
1209, avenue Bernard Ouest, bureau 200
Montréal H2V 1V7 (Québec)
Téléphone : (514) 276-1298 - Télécopieur : (514) 276-1349
Courriel : carteblanche@vl.videotron.ca

Distribution au Canada :
FIDES
165, rue Deslauriers
Saint-Laurent (Québec) H4N 2S4
Téléphone : (514) 745-4290 — Télécopieur : (514) 745-4299

Dépôt légal : 2e trimestre 2001
Bibliothèque nationale du Québec
ISBN 2-922291-62-6

À Anna

L'homme vit d'espérances
et puis de souvenirs

Avant-propos

Au fil des ans, on m'a souvent demandé pourquoi j'écrivais. Eh bien, d'abord parce que j'aime écrire et que je le fais avec plaisir. Et puis aussi, j'ai une sorte d'instinct, un désir d'exprimer un sentiment de détresse devant la marche inexorable de la vie. La détresse de celui qui est en butte aux mille tracasseries du quotidien.

Je tiens à exprimer mes plus chaleureux remerciements à ma famille. D'abord à mes enfants, dont l'indéfectible affection m'a toujours soutenue. Ensuite à ma sœur, à mes frères et à mes nièces pour leur fidèle patience à répondre au harcèlement que j'ai fait subir à leur mémoire, ainsi qu'à mon amie Esther.

Bien que ce récit soit inspiré de faits vécus, j'ai préféré lui donner l'allure d'un roman pour en faciliter le déroulement et me faire pardonner quelques accrocs à la réalité.

Joseph et sa famille. De bas en haut et de gauche à droite : Noël, Ernest, Marie, Berthe, Joseph, Elphège, Laura, Pierre, André, Hector, Adolphe et Joseph fils

1

Enfance

ELPHÈGE DÉAMBULE DANS LA CUISINE, une bougie à la main, elle la dépose sur la table et se dirige vers le poêle. Elle soulève le rond et voit de la braise. Elle y jette un morceau de bois sec et immédiatement une volée d'étincelles éclaire son visage et une chaleur irradie en elle. Elle sent vibrer la vie sur le point de jaillir de ses entrailles. Elle va vers la fenêtre et tire le rideau, des flocons de neige viennent se coller à la vitre, c'est la bourrasque, toute la nuit la tempête a grondé autour des bâtiments de la ferme perdus dans la noirceur.

Elle allume la lampe à l'huile sur la table, elle caresse la porcelaine du bout des doigts, sa mère la lui avait donnée au moment de son départ. Un moment de nostalgie l'envahit, elle la sent bien loin, cette maman. Elle ne viendra pas aujourd'hui pour soutenir son courage. L'horloge sonne six heures. Elle croise les pans de sa robe de chambre de flanelle sur son ventre rond et s'assoit sur sa petite berceuse. Elle sent bouger son enfant, son ventre est si plein, y en aurait-il encore deux? Elle regarde la chaise haute. Il y a quinze mois elle a perdu le jumeau du petit Adolphe. La fin imminente de sa grossesse la laisse songeuse. « Ce carême 1883 est le plus long que j'aie jamais eu », se dit-elle.

Il n'y a pas un an, son mari Joseph, elle et leurs six enfants sont venus s'installer sur cette ferme près des coteaux de Coaticook, dans les contreforts des Appalaches. La montagne sombre, peuplée d'épinettes et formant un rempart à leur établissement, l'avait surtout impressionnée à son arrivée, mais ce matin, sa pensée s'envole bien loin vers la belle vallée du Richelieu qui a charmé son enfance.

Elle retourne à sa chambre, elle se sent seule, Joseph est parti à l'étable pour le train du matin. Elle prend sa brosse à cheveux et commence à lisser sa longue chevelure brune, légèrement ondulée. Elle est fière de ses cheveux que sa mère a tant de fois brossés avec patience, malgré ses colères pour un cheveu indiscipliné.

« Maman… elle ne viendra pas me tenir compagnie durant mon accouchement, se dit-elle. Maintenant, elle doit avoir reçu la lettre que je lui ai écrite la semaine dernière. »

Une pensée la rassure tout de même. « Heureusement que le jeune médecin de Coaticook que j'ai rencontré m'a paru sérieux. Il est anglophone, ça ennuie un peu Joseph, mais ça ne me gêne pas. Je peux lui faire confiance, il me rappelle mon frère Télesphore. » Son frère est aussi médecin. Dans sa jeunesse, Elphège prenait plaisir à l'accompagner dans ses visites, dans son village natal, à Saint-Marc-sur-Richelieu. Elle se souvient qu'elle se sauvait avec lui pour fuir les tâches ménagères dans la maison, malgré les récriminations de ses sœurs.

Soudain elle entend un cri. Elphège revient à la réalité : les enfants sont éveillés. Elle monte à l'étage et ramène le plus jeune par la main et laisse les autres se débrouiller. Dans la cuisine, Elisabeth est déjà à la besogne.

— Bonjour Beth, comment vas-tu ce matin ?

— Très bien, madame.

— Tu auras une grosse journée, aujourd'hui. Je vais mettre mon bébé au monde. Nous allons envoyer les plus jeunes chez nos voisins, ils sont avertis.

Cette jeune orpheline est au service d'Elphège depuis leur mariage. Lors du contrat de mariage, Elphège avait dit :

— Il me faudra une servante.

— Vous l'aurez, mademoiselle, avait riposté Joseph.

À l'orphelinat de Longueuil, les religieuses les avaient reçus, son mari et elle, avec empressement. Une jeune fille de seize ans d'origine irlandaise, rousse, timide, au regard clair et l'air intelligent, fut choisie. Le contrat fut signé. Les « contractants » s'engageaient à la nourrir, à l'habiller et à la bien traiter.

Bientôt la fille aînée, Dinorah, vient les rejoindre, suivie des deux plus jeunes, Joseph-Hector et Berthe. Dinorah, qui aura neuf ans au mois de juin, interroge sa mère du regard. Elle constate que celle-ci n'a pas son entrain habituel. Elle n'a pas l'air à l'aise sur la berceuse, et contrairement à son habitude, elle ne fait pas manger le bébé, c'est Berthe qui s'en occupe.

Elphège revient à son cénacle, son regard fait le tour de la chambre. Elle ouvre le coffret à bijoux que lui a offert son mari pendant leurs fiançailles. Elle admire un moment la jolie broche à diamants qu'il lui a donnée le jour de leur mariage.

Elle se revoit, comme elle était heureuse le matin de ses noces dans sa robe blanche à traîne. Elle sourit... En montant l'escalier du chœur à l'église, Joseph avait mis le pied sur cette traîne. Elle l'avait pardonné d'un sourire :

— Ce n'est rien, mon ami.

Son père n'avait rien ménagé pour donner du faste à cette cérémonie, où les chapeaux de soie tenaient lieu de lanternes chinoises. Riche propriétaire terrien, il était fier de sa jolie fille, qu'il avait généreusement dotée.

Aujourd'hui, douze ans plus tard, que leur apportera cette grossesse, qu'elle tarde tant de voir se terminer ? Depuis la veille une giboulée persistante ensevelit la campagne et tout n'est que blancheur.

En se secouant les pieds, les hommes, Joseph et l'aîné, qui se nomme Joseph comme son père, et que l'on désigne sous le sobriquet de Jos, reviennent de l'étable. Pour se conformer aux ordres de la maîtresse de maison, ils enlèvent salopettes et chaussures de travail dans l'appendice de la cuisine.

— Bonjour les enfants, il va faire beau, le vent est tombé avec le lever du soleil, déclare Joseph.

Il va vers la chambre et interroge sa femme du regard. Elle fait un signe de tête affirmatif et murmure :

— Les premières contractions ont commencé.

Il revient à la cuisine, d'un pas hésitant. Cette nouvelle grossesse lui cause un grand trouble. Il contemple ses enfants, ils sont beaux, intelligents et en bonne santé. En lui-même il rend grâces au

Seigneur, mais il ne peut s'empêcher de s'interroger sur l'arrivée d'un nouvel enfant.

— Pierre n'est pas à table? Je vais aller le réveiller.

— Vous savez qu'il est fragile, intervient Elphège. Quand vous avez voulu le lever tôt, il s'est évanoui.

Joseph revient avec l'enfant, un petit blond aux cheveux bouclés, il a onze ans, et il est délicat de stature.

— Après le déjeuner, tu iras soigner les poules, lui dit son père.

— Il faut ouvrir le chemin pour le docteur, nous aurons de la visite aujourd'hui, annonce Elphège.

Les regards des enfants se tournent vers elle. Jos baisse le nez dans son assiette, il sait, son père lui a dit.

— J'y ai pensé, compte sur moi, ma femme, je m'en occupe.

Joseph la regarde. Comme elle est courageuse!

En attelant les chevaux, il pense à sa femme. Depuis la naissance des jumeaux à Montréal, il y a à peine plus de treize mois, elle est restée fragile et le petit Adolphe aux yeux bleus, qui a survécu, avait l'air d'un chérubin, mais il leur a causé beaucoup de soucis. Joseph ressent une certaine crainte devant ce premier accouchement à la campagne.

Pendant qu'il déblaye la neige autour de la maison, il pense aux raisons qui l'ont amené sur cette ferme. Son adolescence s'est déroulée au Grand Séminaire de Montréal, il se sentait attiré par la vocation religieuse. Il sourit en pensant à cette vie... très austère: pas de chauffage dans le dortoir, eau glacée dans les bassines et un régime alimentaire spartiate. Après ses études, il avait abandonné cette vocation, ne se sentant pas le courage d'affronter les exigences de la prêtrise. Cette décision avait créé un froid avec ses parents. Son père lui avait dit:

— J'espère que tu as bien réfléchi.

Après son mariage, il était parti à Montréal pour occuper un poste de clerc dans une mercerie pour hommes. Un travail routinier, jour après jour aligner les listes de marchandises et de prix. Dans son foyer, la naissance des enfants avait fait diversion, mais l'ennui de ce travail l'écrasait et minait sa santé. Un soir, il avait dit à sa femme:

— Je me demande ce que je fais dans ce bureau. J'ai l'impression que je me vide de mes aspirations.

— Il me semble que tu pourrais en parler à ton père, il était un peu plus compréhensif la dernière fois que nous l'avons vu.

Le samedi soir, une fois son travail terminé, il part seul vers Belœil avec l'intention de soumettre son problème à son père.

— Je ne suis pas surpris, mon garçon. Tu as fait un choix difficile. Tu pourrais revenir à la terre, mais il ne m'en reste plus, j'ai tout distribué à tes sœurs, tu comprends, tu avais choisi une autre voie. Tu peux coucher ici ce soir, nous en reparlerons demain.

Joseph ressent la détresse de son père. Dans son esprit, un fils qui perd sa vocation religieuse se voue au malheur. Joseph tente encore une fois de lui expliquer qu'il n'avait jamais pris d'engagement solennel et que ses supérieurs au séminaire l'avaient compris. Le lendemain matin, d'un ton un peu hésitant, son père lui dit :

— Mon garçon, le gouvernement invite les jeunes à la colonisation. Ils offrent des terres dans les Cantons de l'Est. Tu pourrais acheter une ferme pour pas cher... Si tu veux, je t'aiderai.

La décision est difficile à prendre. De retour à la maison, le soir, au coin de la cheminée, une longue discussion anime les époux.

— C'est presque l'exil ! déclare Joseph.

Les jours suivants, de retour de son travail, il est triste et songeur. Une fois les enfants couchés, ils tournent et retournent le problème.

Un jour, en revenant de l'école, Joseph, l'aîné, demande à sa mère :

— Hier soir, je ne dormais pas et je vous ai entendus, pourquoi pleuriez-vous ?

Elphège demeure interdite, elle ne sait quoi répondre.

— Ton père n'est pas heureux à son travail, peut-être allons nous déménager.

— Mais pourquoi pleuriez-vous ? Beaucoup de gens déménagent, ce n'est pas grave...

— Tu as raison.

La situation demeurait tendue, jour après jour, mais un soir, Elphège avait dit :

— Mon ami, je vous suivrai.

Il avait donc quitté cet emploi pour venir s'établir sur cette terre lointaine.

*

* *

Dans la maison, sans trop comprendre ce qui leur arrive, les enfants sont emmitouflés, ils pleurent. Elphège hésite, elle est tentée de garder le petit Adolphe.

— Qu'arrivera-t-il s'il se met à pleurer durant votre « maladie » ? déclare la servante avec son gros bon sens.

Avec Dinorah, les plus jeunes sont donc déposés chez les voisins, des gens affables toujours prêts à rendre service. Ce sont des Irlandais venus des États-Unis pour s'établir au Canada. La jeune fille de la maison salue tout particulièrement le jeune homme venu conduire les enfants. Elle l'invite à entrer.

— Je vous remercie, je m'en vais chercher le docteur Wood à Coaticook.

Il repart, conscient de sa responsabilité. Il y a un mille et demi à parcourir.

Avant d'entrer dans la maison, Joseph s'arrête au puits et remplit un seau d'eau bien fraîche. Il constate encore une fois que le puits ne gèle pas, il est toujours émerveillé devant ce phénomène. Il referme le couvercle, et replace le crochet du treuil après avoir enroulé la corde. Une fois déposé le seau sur l'armoire de la cuisine, il retourne enlever ses gros vêtements et ses bottes. Il revient et il voit Elphège qui se promène, une main sur les reins. Il vérifie encore une fois la provision de bois pour chauffer l'eau.

— Comment vous sentez-vous, est-ce que je peux faire quelque chose ?

Elphège sourit, il n'y a rien à faire, il faut attendre.

Tout est prêt dans la chambre. Sur le lit, un tapis de journaux recouvert d'un drap blanc et des serviettes en abondance. Tout à côté du lit, le berceau et la layette pour le nouveau-né.

Vers midi, le docteur trouve une patiente fatiguée, il lui offre un cordial et, après examen, affirme que le travail est bien engagé.

— Restez couchée, je vais vous frictionner, tentez de vous détendre. Le travail se fait bien.

À trois heures le médecin met le bébé dans ses bras :

— Vous avez un beau garçon, madame, il est costaud et il va sûrement vivre longtemps.

Elphège sourit, l'enfant sur sa poitrine, plein de vie. Elle le sent plus robuste que ses précédents enfants. Avec une voix forte, il s'attaque à la vie.

Elphège pense à la date du jour, le 23 mars, et subitement elle réalise que c'est le Vendredi saint. Elle a un frisson, elle ne peut éviter de s'interroger sur l'avenir de cet enfant qui naît le jour où le Seigneur est mort, jour où les Québécois vont à l'église avec empressement pour l'office et le Chemin de Croix avec une sainte crainte. Son destin sera-t-il marqué par le malheur ?

À ce moment, Joseph revient de l'étable où Elisabeth est allée le chercher. Il se fait un brin de toilette et passe voir sa femme qu'il embrasse chaleureusement sur le front. Il admire l'enfant avec attendrissement.

— Sir, vous avez fait du bon travail. Passez donc au salon.

C'est une pièce bien éclairée, meublée de fauteuils en velours rouge et d'un piano carré, tel une table rectangulaire sur quatre pieds. Cet instrument, perfectionné en 1829, connut du succès pendant près d'un siècle.

— Je peux vous offrir un verre de gin ? Ils s'assoient tous les deux.

— Comment avez-vous trouvé l'état de santé de ma femme ?

— *Very good.* Faites sûr qu'elle se repose bien. C'est un gros bébé. Il voudra manger beaucoup, ajoute-t-il avec un grand éclat de rire.

Joseph plonge son regard dans les grands yeux bleus de son interlocuteur. Celui-ci a un regard franc, mais un peu timide. Il pratique sa profession à Coaticook depuis bientôt quatre ans et il affirme s'y plaire :

— *Nature is so beautiful !*

Le médecin se retire après avoir reçu ses honoraires et donné ses dernières recommandations.

À l'heure du souper, la famille est de nouveau réunie dans la joie. Les enfants sont admis dans la chambre, sur la pointe des pieds, pour voir une petite figure plissée qui est arrivée pendant leur absence.

Joseph, lui, est fier de ce fils qui s'ajoute à sa progéniture. Il rend grâce au Seigneur. Il n'avait qu'un frère dans sa famille et les générations précédentes avaient, en grande partie, apporté plus de filles que de garçons. Pour lui, ce cinquième fils est un don du Seigneur et de bon augure.

Joseph junior, qui était parti à l'étable pour le train du soir revient l'air inquiet :

— La caille a des problèmes, elle est en train de vêler et le veau n'est pas capable de sortir.

C'est le premier veau depuis leur arrivée sur la ferme.

Joseph est pris au dépourvu. Il ne sait pas quoi faire.

— Va vite chercher le voisin !

En arrivant, le voisin se lave les mains et demande de l'eau chaude. Il frictionne la bête pour la réchauffer. Avec l'habileté d'un chirurgien, il travaille à dégager le veau. Ce n'est qu'au bout d'une heure que la petite bête est libérée. Joseph soupire.

— Deux naissances le même jour, c'est dur pour un Canadien, pense-t-il.

Il serre la main du vieux cultivateur pour le remercier. C'est une main calleuse, la main des ouvriers de la terre. Il invite le fermier à la maison pour lui payer la traite.

— Vous direz à votre femme de venir voir le bébé. Grand merci, encore une fois. Vous avez sauvé ma vache et son veau. Je vous le revaudrai.

Le lendemain, samedi, on attelle la grise sur la carriole bourrée de briques chaudes, on emmaillote le poupon pour le baptême. Le soleil est radieux et semble fêter la joie de cette famille.

— Comment voulez-vous l'appeler, ma chère ?

— J'aimerais l'appeler André comme ton grand-père.

Joseph la regarde, un peu surpris. Depuis que son frère André est parti, ce nom est tabou.

— Que pensera mon père ?

— C'est le nom de son père et ce nom a toujours été vénéré dans la famille.

— Si vous voulez, lui répond-il avec hésitation.

Joseph n'est pas très loquace et il est même taciturne à ses heures. Il est plus à l'aise aux champs à méditer qu'à dialoguer avec sa compagne. Il pense à son père.

Aujourd'hui, lui-même est devenu le seul fils de la famille. Son frère aîné, André, s'est exilé, parti aux États-Unis pour ne plus revenir, à la suite d'un différend avec son père. Joseph lui aussi a quitté cette belle vallée de son enfance pour d'autres cieux, poussé vers ce destin par le comportement rigide de son père. Ce dernier, au fond de lui-même, n'a jamais accepté les conséquences de la Conquête. Après la révolte des patriotes en 1837, il a résilié son poste de capitaine de milice de Belœil. Joseph avait cinq ans à ce moment et il avait compris que les choses avaient changé.

À la fin de l'après-midi, les parrain et marraine, Dinorah et Joseph, puisque c'est alors la coutume de choisir les frères et sœurs aînés pour occuper cette fonction, reviennent de l'église avec leur père. Le petit André Arthur a été bien sage, il n'a pas pleuré. Mais là, il manifeste son appétit, et vite on le remet à sa mère. Elle l'embrasse en disant : « Mon p'tit ange. »

*

* *

À sept ans, l'enfant affronte les bancs de l'école, son aîné de quinze mois, Adolphe, l'accompagne le long de la route de l'école du rang.

Son frère veut lui donner la main, mais André n'est pas d'accord :

— *No ! I can.*

Elphège parle anglais à ses enfants, elle a passé un an chez des anglophones pour acquérir cette langue et elle juge que c'est essentiel. De son côté, Joseph ne parle qu'en français à ses enfants. De temps en temps il laisse son journal de côté pour aider les plus grands.

Le soir, la mère devient « maîtresse d'école », elle surveille, elle est rigoureuse quand il s'agit de l'instruction. Autour de la grande table de la cuisine, elle demande les leçons, conseille les plus vieux, regarde les devoirs.

Dès la troisième année, André va chez les Frères du Sacré-Cœur à Coaticook. Petit gars brillant, il aime néanmoins taquiner. Un beau jour le frère se rend compte qu'il n'écoute pas et s'amuse avec sa toupie. Le frère lui pose une question à brûle pourpoint et la réponse exacte arrive aussi rapidement. Plus tard, André raconte cette anecdote à ses enfants :

— J'avais écouté en faisant semblant de rien.

Et André en rit encore.

Au début de l'été suivant Joseph doit se rendre à Belœil pour affaires. Afin d'avoir un compagnon, il amène André, qui a neuf ans. Il veut rendre un cheval et une voiture que son père lui a prêtés. Il reviendra par le train. Solution facile avec cette nouvelle invention. La construction du chemin de fer St-Laurent-Atlantique, plus tard le Grand-Tronc, remonte à 1852 et dès 1855 une première locomotive passe à Coaticook.

Il laisse la responsabilité de la ferme à l'aîné, qui vient d'avoir vingt ans et qui a terminé ses études au collège classique. Il se partagera la tâche avec ses frères. Les filles ne vont pas à l'étable habituellement, mais Dinorah ira soigner les poules à la place d'André.

— C'est aujourd'hui mardi, vous viendrez me chercher à la station du Grand-Tronc mardi prochain, déclare Joseph. En passant à Saint-Hyacinthe nous nous rendrons au collège pour voir Pierre.

C'est un long voyage — trois jours —, et l'enfant se trémousse de plaisir et d'importance. Tout le long du parcours, Joseph égrène des chapelets. Le garçon a peine à suivre, il y a trop de choses à voir. Le cheval est fringant, le temps est au beau, tout va bien.

Le premier soir, Joseph arrête la voiture devant une maison qu'André ne connaît pas.

— Ce sont des amis, tu vas les aimer, lui dit son père, nous allons coucher ici.

C'est une belle grande maison peinte en blanc, dont la porte s'ouvre avant qu'ils aient mis le pied à terre. Des salutations, des exclamations, un grand type et une petite femme rondelette les accueillent.

— C'est ton garçon? Comment t'appelles-tu?

André baisse la tête, il a perdu toute son assurance.

— Répond, lui dit son père, est-ce que le chat t'a mangé la langue?

Un jeune garçon, un peu plus grand, vient et lui prend la main:

— Viens voir mes jouets.

— J'm'appelle André, murmure-t-il.

Deux jours plus tard, ils sont rendus à destination. À la maison paternelle, Joseph laisse le petit au soin de ses deux sœurs, Julienne et Noémie, toutes deux célibataires, puis il vaque à ses affaires. À la fin de la deuxième journée le garçon trouve le temps long, ses tantes essaient de le distraire, mais il n'y a personne avec qui jouer, il s'ennuie, il a les yeux rouges.

La semaine suivante, de retour à la maison, il déclare avec un peu d'orgueil :

— J'ai eu mal aux yeux, mais en revenant j'ai embarqué dans les « gros chars », c'est beau, il y a beaucoup de sièges, on peut regarder dehors, les arbres passent vite, vite. À la station on attendait le train. Quand il est arrivé, l'« engin » était gros comme la maison. Ç'a pris juste une journée pour revenir.

Il se tourne vers son père, il y a une grosse boîte dans les bagages. Les tantes ont envoyé des surprises, des friandises et des robes pour les filles. Il y a même des petits jouets pour les plus jeunes.

Avec un air émerveillé, André s'écrie :

— Moi aussi j'ai eu un cadeau !

Il tire de son baluchon un petit train miniature. Il est en métal fin et comprend une locomotive, un tender et un wagon. Le métal est peint en couleurs, donnant au jouet un aspect réaliste. Il le dépose sur la table, les mains tendues pour empêcher les plus jeunes d'y toucher.

— Mes chers amis, c'est la journée de l'étonnement, dit Joseph. J'ai acheté tous les matériaux nécessaires pour agrandir la maison. Sans en avoir parlé, j'avais fait les calculs avant de partir. Je vais agrandir la cuisine et la salle à manger. Au-dessus, ça fera une chambre de plus et ce sera pour les filles. La cuisine est vraiment trop petite avec dix enfants.

Tout l'été passe à la construction, les trois plus jeunes, Noël, Marie et Ernest, courent autour du chantier et il faut tout son temps à Elphège pour les surveiller.

La petite Marie, pour Elphège, c'est la petite fille tant désirée, après six garçons. La petite est le point de mire de sa mère et ses frères, c'est elle qui mène le bal...

Un jour, la petite Marie joue avec son petit frère Ernest. Le p'tit gars ne veut pas toujours répondre aux exigences de mademoiselle. Il veut se défendre et v'lan, son jouet frappe la petite dans un œil. Le sang coule abondamment. Vite, il faut aller chez le docteur à Coaticook.

Quand les parents reviennent trois heures plus tard, l'enfant porte un lourd bandage, elle a perdu un œil. Plus tard, elle prendra plaisir à enlever son œil de verre devant les enfants.

*
* *

Avec les années, André est d'un grand secours pour son père, toujours prêt à courir devant pour une course. Il est agile et habile, il a une forte constitution et, même à quatorze ans, les manchons de la charrue ne lui font pas peur, il aime la terre.

Une nuit, on entend des cris dans la chambre des filles. André, dont l'adrénaline le porte au somnambulisme, a transporté son matelas sur le lit de ses sœurs. C'est l'émoi dans la maison. Le lendemain on en rit, mais de son côté, André s'en souviendra toute sa vie.

À seize ans, il a terminé la 8e année scolaire, mais il ne veut pas aller au collège à Saint-Hyacinthe comme ses frères:

— Je n'ai pas besoin de ça pour cultiver la terre, dit-il, je ne veux pas être pensionnaire.

— Il ne faudrait pas que plus tard tu te plaignes de ne pas avoir fait d'études, lui dit son père.

La besogne de la ferme le tient occupé et il se donne entièrement à sa tâche. Durant les vacances d'été la ferme bourdonne d'activités, le jardin, la cueillette des petits fruits, les confitures, les foins, la récolte, tout le monde travaille.

Cette année, la cueillette des fraises est abondante. Les filles aident leur mère à la cuisson des confitures. Tout à coup Dinorah se sent mal, elle tremble et elle a de l'écume à la bouche.

— Qu'est ce qu'elle a? s'exclame Elphège, on dirait qu'elle est empoisonnée. Prends un verre d'eau et va te reposer en haut.

Une heure plus tard, les confitures sont mises en conserve et la jeune fille se sent mieux. On découvrira avec les années qu'elle est allergique à l'exhalaison des fraises des champs.

Souvent le mercredi, Elphège prend congé, elle se fait belle et elle enfile sa robe perlée. Ses beaux cheveux noirs, bien coiffés, brillent au soleil et ses yeux d'onyx lancent des défis à la monotonie. André attèle le petit cheval noir pour sa mère, elle va prendre le thé chez son amie, madame Mathers, à Coaticook. Elle aime bien ce petit cheval « canadien » que son père lui a donné au moment de son départ pour Coaticook.

La visite à cette Irlandaise à l'aise a un caractère mondain. Elle accueille Elphège avec cérémonie :

— *How are you, my dear one?*

— *Very well, thank you, and you how do you do with your heart?*

L'amie sort ses belles tasses de faïence et elles dégustent leur thé en grignotant des petits sablés et en partageant leurs sentiments les plus intimes.

La vie quotidienne fait l'objet de leurs confidences.

— Depuis que mon mari a agrandi la cuisine, nous nous sentons plus à l'aise. L'exploitation de la ferme progresse. Le troupeau compte maintenant une dizaine de vaches. Joseph porte la crème à la fromagerie deux fois par semaine. Les prix ont légèrement augmenté depuis le printemps. Souvent, un des enfants l'accompagne, Joseph récite des Ave tout le long du parcours. Mon mari est bien pieux. Les garçons le secondent avec entrain, l'aîné devient un homme. Je n'aurai plus d'enfants, je me sens vieillir et, ajoute-t-elle avec un sourire narquois, mon mari n'a plus la fougue qu'il avait.

Elle revient de ces sorties rassérénée.

Un soir, c'est l'heure de la traite des vaches et le petit Noël court dans l'étable. Soudain il crie :

— André, papa est à terre.

Les garçons se précipitent, leur père s'est affaissé. Il est à demi conscient. Les enfants l'aident à se relever. Il ouvre la bouche pour parler, mais seuls des sons inintelligibles se font entendre.

Le médecin constate une paralysie faciale. Il recommande le repos et l'encourage en affirmant que probablement les choses devraient rentrer dans l'ordre bientôt.

L'aînée des petits-enfants, Marie-Blanche, raconte plus tard qu'il avait recouvré l'usage de la parole au bout de quelques mois, en récitant des Ave, tout en trayant les vaches. Son esprit religieux ne se dément pas !

Nous sommes au printemps de 1900, Joseph a passé le cap de la cinquantaine et le plus jeune de ses enfants, Ernest, aura douze ans à l'été. De son côté, André partage les travaux de la ferme à plein temps. Il a eu son diplôme du collège commercial chez les Frères du Sacré-Cœur à Coaticook. Il a 17 ans et le monde vient d'entrer dans le vingtième siècle. L'aîné de la famille est marié et le deuxième fils,

Pierre, est aux études ainsi que le troisième, Hector. Pierre, qui fait des études en médecine, est à Paris. Quand André va chercher la paye à la fromagerie, sa mère lui dit :

— J'ai préparé une lettre pour Pierre, n'oublie pas de lui envoyer de l'argent.

Plus tard il dira avec une certaine nostalgie :

— C'est moi qui ai payé ses études.

La nichée est réduite, Adolphe, le petit blond aux yeux bleus, est entré chez les Frères du Sacré-Cœur à 15 ans pour faire son juvénat et parfaire ses études. Il sera frère enseignant.

Tôt le matin, André est rendu aux champs. Un jour, il a déjeuné sur le pouce, seul dans la dépense. Il est frustré, son père lui a fait un reproche :

— Tu n'as pas accroché les attelages, je les ai ramassés à terre.

André se dit qu'il ne mérite pas ce reproche, il était fatigué, il est le seul qui travaille, se dit-il. Il ne parle plus, il boude. Il se lève à quatre heures du matin et revient tard et de nouveau, grignote quelque chose à la dérobée.

Le lendemain soir, sa mère a déposé un repas dans la dépense. Ce manège continue pendant plusieurs jours, ce n'est que le dimanche suivant qu'il accepte de reprendre sa place à la table familiale.

Un matin, une grande agitation secoue la maisonnée. Une longue enveloppe que le postillon a déposée dans la boîte aux lettres en est la cause. C'est la confirmation que Berthe, qui aura bientôt 21 ans, est admise chez les religieuses Hospitalières de Saint-Joseph à Montréal. La lettre contient la liste du trousseau que la postulante devra fournir en plus de la dot de cinq cents dollars.

Berthe enseignait à Coaticook depuis la fin de ses études. Une belle jeune fille, brunette aux yeux noirs, elle ne donnait pas suite aux regards et invitations des jeunes gens de son entourage. Elle manifestait une volonté de fer qui la confirmait dans son désir d'absolu. La piété religieuse qui animait son père la remplissait d'admiration et l'exemple de fidélité au devoir de sa mère la poussait à une offrande entière d'elle-même.

Au début de l'été elle avait fait un voyage à Montréal pour visiter ses oncles et tantes. Entre autres, elle avait rencontré à l'Hôtel-Dieu sa tante, sœur Cléophas. Elle avait visité l'hôpital, la chapelle et le parloir. À son retour, elle avait demandé à son père la permission d'entrer au noviciat.

Elle était donc admise et la lettre qu'elle venait de recevoir le confirmait. Le 1er octobre 1900 elle pénétrait dans le cloître où elle se consacra au service des malades pendant soixante-neuf ans, comme infirmière.

À la fin de septembre, en accord avec son père, André décide de défricher une planche de labours sur le haut du coteau. La pente est du côté sud-est et l'avoine devrait pousser et mûrir tôt la saison prochaine. Il travaille avec acharnement, le soleil seconde son ardeur et inonde la future prairie.

Tout à coup, André entend le train, qui laisse s'allonger sa longue plainte et se faufile de l'autre côté de la vallée. André s'arrête, et alors qu'il contemple le serpent mécanique qui ondule le long de la gorge, son second sifflet le pénètre :

— Comme ce doit être palpitant de chevaucher cette bête, se dit-il.

- 1902 -

Léona et André

2

Le mariage

Les enfants, surpris, prennent le chemin des écoliers au mois d'août. On leur explique la décision des autorités de prévoir deux semaines de relâche pour le temps des récoltes en septembre. Chez Joseph, il n'y a plus d'écoliers, mais la jolie Marie, à seize ans, prend le chemin de l'école du rang. Son diplôme en main, elle a accepté le poste d'institutrice. Elle porte une ravissante robe de fine serge bleu horizon qui lui donne un petit air autoritaire. Elle attire les regards de son frère :

— Tu as vraiment l'allure d'une maîtresse d'école, tu as perdu ton petit minois d'enfant gâtée.

— Je n'ai rien qui cloche ?

— Mais non, rassure-toi, ton cheval t'attend.

Elle ramasse le registre d'écoliers qu'elle a reçu par la poste et saute dans la voiture avec élégance en prenant les rênes.

À l'école, l'arrivée des enfants l'impressionne, ils sont anormalement silencieux, les petits ont la larme à l'œil. Marie se fait maternelle et leur demande leur nom. Même les plus âgés affichent une certaine gêne, des filles et des garçons qui sont aussi grands qu'elle. Elle fera la classe à quinze enfants, de la première à la sixième année.

Du côté de la ferme, la vie se déroule selon un rythme bien établi. Les bâtiments fraîchement chaulés resplendissent dans la campagne verdoyante. Joseph contemple son domaine, il entre et trouve Elphège dans la cuisine :

— C'est déjà l'automne, les récoltes sont bonnes, je sens que c'est aussi l'automne pour moi. La saison de la récolte, avec dix enfants vivants, je ne pensais jamais atteindre ça. Je rends grâce au Seigneur et à vous, ma chère.

— Vous ressentez la fatigue des années, heureusement qu'André est là pour vous soulager de la grosse besogne.

— Avez-vous des nouvelles de Noël ?

— Non, il n'a pas encore écrit, mais j'ai reçu une lettre de Jos. Hectorine va mieux, depuis le décès de leur aînée, elle était très nerveuse et ne dormait pas.

— Perdre un bébé à deux ans, c'est bien triste.

— Cette misérable coqueluche, je me demande quand ils vont trouver un remède à ça.

André entre à son tour :

— J'ai arraché plusieurs rangs de patates, je me demande si Bette pourrait venir nous aider au ramassage…

— Moi aussi, je vais y aller, dit Laura.

Au cours de ses années de pensionnat au couvent des sœurs des Saints Noms de Jésus et de Marie à Longueuil, elle avait changé son prénom. Les religieuses n'aimaient pas la consonance anglaise de Dinorah.

Fin septembre, Marie est convoquée à Coaticook. L'inspecteur de la Commission scolaire catholique de la région convoque toutes les maîtresses d'écoles sous sa juridiction au couvent des Sœurs de la Présentation de Marie. Fondé en 1870, le Grand Couvent, comme on l'appelle aujourd'hui, reçoit des jeunes filles pensionnaires. Modeste à ses début, le couvent a grandi, il est devenu un imposant bâtiment en pierres, inauguré en 1888.

Le 31 janvier 1895, on avait parlé de miracle. Un violent incendie, qui débuta au coin des rues Main et Child, avait complètement dévasté les commerces et les habitations des deux rues, vers l'ouest et jusqu'au ruisseau vers l'est. Les flammes étaient passées devant le couvent sans traverser la rue, l'épargnant ainsi de la destruction.

À la fin de la journée, André attelle le petit cheval sur la voiture pour aller chercher sa sœur Marie qui assiste à la rencontre des enseignantes. En le voyant arriver, elle lui dit :

— André, je ramène une compagne coucher chez nous. La rencontre dure deux jours et elle demeure à Moe's River, elle s'appelle Léona Comtois.

Cette jeune personne impressionne grandement André. C'est une bien jolie blonde aux beaux yeux bleus. Cet émoi le trouble et multiplie son ardeur au travail. Il vaque à sa tâche et la ferme bourdonne d'activités, mais son esprit vagabonde souvent vers Moe's River.

Un midi de la fin de l'automne, son jeune frère Noël arrive, avec son baluchon sur l'épaule. Il est censé être au collège de Nicolet. Il se tient dans l'embrasure de la porte.

— Ne reste pas là, entre, lui dit sa mère. Es-tu malade?

— Non, je me suis sauvé. Le préfet de discipline était toujours sur mon dos.

Il n'avoue pas qu'il s'ennuyait à mourir.

Elphège lui donne un verre de lait. Joseph n'a pas quitté sa place à table.

— Viens manger, nous en reparlerons après le dîner.

Le garçon n'a pas beaucoup d'appétit. Après discussions et exhortations, le fils reste intraitable. Il veut rester sur la ferme. Finalement, Joseph écrit au collège pour s'excuser auprès des autorités et demander qu'on expédie la malle du garçon par chemin de fer.

Noël aime la terre, il apporte aux travaux une heureuse contribution, appréciée particulièrement par André. Une certaine complicité s'établit entre les deux frères, tout va bon train, mais un nuage sombre vient troubler cette douce quiétude.

Un après-midi, André trouve son père étendu dans l'étable: c'est une deuxième crise. Encore une fois, il ne peut plus parler. En équipe, les frères et sœurs transportent leur père dans la maison avec une grande précaution. Le médecin appelé constate que la paralysie l'a de nouveau terrassé. Ce jeune médecin est le neuvième disciple d'Esculape à s'établir à Coaticook, depuis la visite du docteur en 1883. Ce sont tous des Anglais, Elphège les reçoit avec amabilité, mais Joseph les tolère seulement.

Le repos complet permet toutefois à Joseph de se relever de nouveau, mais il est plus gravement handicapé qu'après la première crise. Cette deuxième atteinte à son autonomie le laisse dans un grand désarroi moral. Peu à peu, il s'occupe du train-train quotidien, mais avec crainte. Il mène une vie austère. Un soir, il livre le fond de sa pensée :

— Ma femme, je crois que nous devrions retourner à Montréal.

Elphège le regarde, surprise, d'un œil interrogateur. Après un silence, elle comprend qu'il faudra sans doute en arriver là, mais plus tard. Elle s'est attachée à cette vie besogneuse.

Dans le canton, souvent, le samedi soir, il y a des veillées chez l'un ou l'autre des voisins, et tout le monde danse. Les garçons sont vigoureux, ils aiment bien rencontrer les voisins et surtout les voisines. André fait tourner les belles et la musique des quadrilles résonne jusqu'aux petites heures. C'est un jeune homme impressionnant, très brun, il a des yeux noirs perçants. Les jeunes filles se disputent sa compagnie.

C'est un danseur infatigable. Il demeure alerte et l'œil vif, mais il reste indifférent aux avances des jeunes filles. Il pense encore à la belle petite blonde aux yeux si bleus.

Au mois de mars suivant, nouvelle rencontre avec « Monsieur l'inspecteur », comme on l'appelle. Pour taquiner André, Marie lui demande :

— Aimerais-tu que je ramène une fille pour coucher ?

Elle avait remarqué son attitude empressée à l'automne. Sans hésiter, la réponse fuse :

— J'aimerais bien que tu invites la même petite blonde que la dernière fois.

Marie écrit à sa compagne, Léona Comtois, pour l'inviter à coucher, sans omettre de lui dire d'avertir son frère de ne pas revenir la chercher.

La rencontre des institutrices se termine ce jour-là. André soigne sa tenue et va chercher les jeunes filles à Coaticook, tel que convenu. Au retour, il laisse sa sœur à la maison et, avec le consentement de la jeune fille, il part avec elle pour Moe's River, quelque huit milles plus loin.

André sent une émotion intense. « Drôle de coïncidence, pense-t-il, c'est le jour de mon anniversaire. »

La jeune fille ne parle pas beaucoup et le traîneau file. Le printemps est tôt cette année et c'est la période de dégel de la terre. Le chemin est plein de bosses et de trous. Le traîneau instable nuit au trot du cheval. Subitement, la bête glisse et fait un écart. Hop! voilà le traîneau à l'envers dans le fossé, la robe de carriole sur la neige sale et la maîtresse d'école dessus.

André saute à la tête du cheval avec l'agilité d'un élan pour le calmer. En un tournemain, il est auprès de la demoiselle, il la serre un peu pour la relever et l'aider à se remettre de ses émotions.

— Vous n'avez pas de mal?

André est rouge de colère et de honte, comment a-t-il pu ainsi perdre la maîtrise de son attelage? Mais la belle le rassure d'un sourire angélique. Cet incident est-il le présage des aléas que subira ce couple durant le cours de leur vie?

Bientôt, le traîneau entre dans une longue allée pour atteindre un immense pin, derrière lequel apparaît une demeure impressionnante. Plusieurs bâtiments proprets, agglutinés, forment un ensemble coquet. Une belle véranda entoure la maison.

Léona l'invite à entrer chez elle où une maisonnée de filles l'attend. Le fils de la maison, Trefflé, dételle le cheval pour le faire reposer dans l'écurie et le faire boire.

La jeune fille raconte sa mésaventure, ce qui provoque une hilarité générale, mais irrite l'orgueil du jeune homme. Après le souper, il repart en promettant de revenir, si la belle le permet. Une fois dans le traîneau, il parle fort à sa monture, il a le fouet lourd. Il en veut à la bête de sa déconvenue. Le chemin de retour se fait au « vol ».

Il fait nuit depuis longtemps quand il atteint la maison paternelle. Le lendemain matin, son père lui dit:

— Je constate que le pelage de ton cheval est cotonneux, il a eu trop chaud. Tu n'étais pourtant pas si pressé. Je remarque que tu maltraites souvent les chevaux. Tu verras à le brosser à l'étrille.

André ne dit mot, son père a raison, il accepte la remontrance. De toute façon, il a d'autres pensées plus agréables en tête.

Le lendemain, le courrier apporte une lettre du benjamin, Ernest, qui fait un cours commercial à Arthabaska, chez les Frères du Sacré-Cœur, où se trouve maintenant le jeune frère Aldéric (Adolphe). Il annonce qu'il a réussi les examens et qu'il recevra son diplôme en juin, mais il demande de s'inscrire une autre année pour obtenir un brevet supérieur.

De son côté, André est bien installé dans son quotidien. Ingénieux, les nouvelles inventions retiennent vite son attention. À la ville, il entend parler d'un gramophone à rouleaux, c'est une nouveauté. Il se procure l'instrument et des rouleaux qui reproduisent de la musique et des chansons. Aussi, André peut enregistrer les voix lui-même.

Il fait chanter ses sœurs et le dimanche suivant il part pour Moe's River. Il est accueilli avec gaieté et les filles chantent, elles ont de belles voix. Il fait entendre le chant de ses sœurs et émerveille son auditoire. À sa visite suivante, il fait tourner les rouleaux et soudain quelqu'un s'écrie :

— Ah ! c'est la voix de Léona.

Son choix est fait, c'est la femme de sa vie. Pour elle, il n'y a pas de doute sur les intentions de son prétendant, même si elle a une sœur aînée non mariée. « Qu'est-ce que mon père va dire ? » pense-t-elle tout de même…

Un dimanche, les amoureux s'installent tous les deux sur la balançoire. Ils ne s'éloignent pas, le père les a à l'œil. La jeune fille porte une jolie robe longue en toile écrue, dont le corsage est garni de dentelle, ses longs cheveux blonds, légèrement ondulés, encadrant ses yeux pleins d'azur. « C'est la plus belle femme du monde », pense-t-il.

— Vous avez une jolie robe, vous permettez que je vous appelle Léona ?

— Certainement, et vous, vous vous appelez André ?

— Oui, je me nomme André-Arthur, mais vous pouvez m'appeler simplement André.

Il est assis de plus en plus près d'elle :

— Vous permettez que je vous prenne la main ? Chez nous, mon père compte beaucoup sur moi, mon plus jeune frère est encore aux études, dans un an il sera à la maison et de mon côté j'aurai vingt et un ans, ce que je considère essentiel pour parler d'avenir plus sérieusement.

Elle comprend ses ardeurs, elle acquiesce tout simplement. Elle n'est pas compliquée, elle sait attendre, mais son cœur palpite.

Un matin du mois d'août, le soleil dore la campagne et la chaleur s'installe, lourde et humide dans les vallées de Coaticook.

— Nous allons pouvoir entrer le reste du foin, dit André, ça prendra deux ou trois voyages, il faut s'y mettre tous ensemble. Si Marie veut venir ce ne sera pas de trop.

Au cours de l'après-midi, le foin s'entasse sous le râtelier pour le dernier voyage. Soudain, le ciel s'obscurcit.

— Nous allons avoir de la pluie, vite il faut ramasser les dernières meules de foin. Laissons les derniers brins, ça sent l'orage. Tout l'monde sur le voyage !

André presse les chevaux. Quelques brins de pluie tombent sur l'équipage au moment d'entrer dans la grange.

La tempête s'abat sur la campagne. Les éclairs sillonnent le ciel, le tonnerre menace de fracasser la montagne, pendant qu'un déluge voile la plaine. Subitement tout s'arrête, la tempête finit aussi rapidement qu'elle a commencé.

Avec l'accalmie, le groupe sort de la grange où il s'était réfugié, le temps est clair, les oiseaux chantent, une petite brise s'installe. L'atmosphère est libérée de la chaleur écrasante.

En se dirigeant vers la maison, le regard d'André est attiré par un jet de fumée, qui fuse de la grange du voisin. « La foudre a mis le feu chez les McDuff », s'exclame-t-il. Il alerte l'entourage et on accourt. Le voisin est seul avec sa femme. Avec ses frères, André tente de sauver l'équipement. Les animaux sont en sécurité, aux champs pour l'été. Ils sortent les voitures de la remise qui est à côté. Le feu se propage rapidement, il n'y a rien à faire. On accourt de toutes parts. Heureusement le vent ne souffle pas du côté de la maison. Le voisin est effondré :

— À mon âge, je ne peux pas entreprendre la construction d'une nouvelle bâtisse.

Joseph, qui a réussi à se rendre chez son ami comme les autres, intervient et encourage :

— Si vous voulez, je pense qu'en organisant une corvée, tous les cultivateurs du rang monteront une grange en peu de temps. Vous pourriez la construire plus petite, maintenant que vos enfants sont partis. Dimanche prochain nous demanderons à M. le curé de l'annoncer au prône.

Mildred McDuff invite les gens, qui sont accourus, à entrer chez elle pour une tasse de thé. Chacun donne son avis au sujet de la construction à venir.

— Sur le chemin de la Rivière il y a une grange ronde, c'est la première que je vois, dit Noé Désorcy. Lui-même connaît bien le coin, il est arrivé dans la région depuis vingt ans. Paraît-il qu'il y en a plusieurs dans le Vermont.

— Il faudrait aller voir le propriétaire pour lui demander comment il aime ça, suggère Olivier Frizzle.

— Je l'ai rencontré, dit Lionel Bolduc, le maire de la paroisse Saint-Herménégilde. Il dit que sa grange ronde peut contenir plus de bêtes. Placés en cercle, les animaux ont la tête orientée vers le centre, ce qui facilite le ravitaillement et également le nettoyage. L'éclairage constant à toutes heures du jour est assuré en raison de sa rondeur. Je sais qu'il y en a une autre à Barnston et aussi sur le chemin Fairfax.

— Mes amis, déclare Frederick McDuff, je vous remercie de tout cœur pour votre encouragement, mais à mon âge, je préfère encore une grange traditionnelle !

*

* *

Le printemps suivant, André est invité « aux sucres » chez les Comtois. Le temps des sucres chez Louis constitue un événement important. L'érablière est considérable, mais les installations pour l'exploitation sont assez loin de la maison. Souvent, le propriétaire lui-même doit y passer la nuit pour faire bouillir l'eau d'érable.

Quand vient le temps d'entailler, c'est le branle-bas. Les femmes lavent les seaux et les récipients de toutes sortes, les hommes chargent le traîneau, tout l'équipement, du bois sec et de la nourriture pour plusieurs jours.

Les filles sortent les « palettes » pour tremper dans le sirop ; chacun et chacune a la sienne. Les cinq filles garnissent le garde-manger. Il faut compter la visite et approvisionner la cabane à sucre. Parfois, elles vont donner un coup de main, la gaieté est dans l'air. Cet épisode permet de sortir de la morosité de l'hiver. À la fin, la récolte est importante : le sirop embouteillé et les bouteilles cachetées à l'arcanson sont placées précieusement dans la dépense ainsi que la tire, tandis que les pains de sucre sont remisés au grenier de la maison et assurent la provision de sucre pour un an.

Les jeunes filles s'amusent, c'est aussi un moment de *flirt* bien innocent avec le voisinage. En cachette de Léona, elles moulent un cœur en sucre d'érable où elles inscrivent les initiales de Léona et d'André. Le soir, dans la chambre des garçons, André trouve le cœur sur son lit. Les autres le taquinent, mais il leur avoue qu'il est sérieusement épris.

— Je viens d'avoir vingt et un ans et demain, je compte parler à son père.

Louis Comtois est impressionnant, c'est un homme de six pieds, qui ne badine pas souvent. André se lève tôt et il franchit le petit ruisseau qui mène à l'étable pour rencontrer son futur beau-père à l'heure du train et faire la grande demande, sans tambours ni trompettes.

Au déjeuner, André prend la main de Léona:

— J'ai parlé à votre père ce matin et il consent à notre mariage. Si vous voulez ce sera à l'été, moi je suis prêt.

Une explosion de joie anime la famille. La conversation s'enflamme, on s'embrasse. Il n'y a pas de surprise: depuis l'arrivée d'André, c'était dans l'air. Ses attentions empressées auprès de Léona ne trompaient personne. La cérémonie est fixée au début de l'été.

De retour chez lui, André fait part à ses parents de son projet. Là aussi, il n'y a pas d'étonnement, il y avait anguille sous roche. Son père acquiesce:

— C'est ton tour. Maintenant il y a Noël et bientôt Ernest pour m'aider. Tu as bien travaillé. Ta mère et moi avons pensé que tu pourrais prendre la ferme du Rang 3. Il n'y a personne, les métayers sont partis l'automne dernier.

Cette ferme faisait partie de la dot d'Elphège et se trouvait à environ deux milles de la terre de Joseph. Depuis plusieurs années, elle était en louage à des «arrivants» des États-Unis.

Dès le dimanche suivant, André se rend à «sa» terre, à cheval, pour évaluer la situation. Il fait le tour du proprio, tout est à l'abandon. «D'ici le mois de juin, j'ai le temps de tout remettre en ordre», se dit-il.

Le samedi suivant, il revient de la ville où il a acheté quelques outils. Dans la côte, près du petit moulin à scie des Lizotte, il voit deux vieux garçons qui longent la route en titubant. Au moment où il les dépasse, il les entend chanter:

— *Oh my darling, oh my darling...*

Ce n'est pas la première fois qu'il les voit dans cet état. Il les plaint :

— Jamais personne ne me fera boire, se jure-t-il !

Il partage son temps entre l'aide à son père et l'aménagement de ce qu'il considère son domaine. Il y a un puits plein d'eau, une petite maison à deux étages et une grange modeste. L'extérieur de la maison n'est pas peint, une couche d'ocre la rendra plus gaie, songe-t-il. Dès le dégel, il demande un cheval à son père pour labourer, il a trouvé une vieille charrue et l'a réparée. Il passe plusieurs jours à travailler et à réparer les instruments aratoires.

Un dimanche, André sollicite l'honneur d'amener sa promise voir son futur château. La mère hésite, André est à la gêne, comment peut-on douter de lui ? Finalement, une des plus jeunes filles, Fleurange, les accompagnera. Malgré l'état désertique des bâtiments, les amoureux, se tenant par la main, parcourent les lieux en imaginant mille choses.

Arrive le grand jour, les cloches sonnent pour André et Léona en ce matin du 23 juin 1904 à Compton. Le soleil brille.

La mariée étincelle aux yeux d'André. Elle a fabriqué elle-même sa jolie robe blanche, ornée de dentelle, le col montant et les poignets sont enjolivés de guipure. Le marié est nerveux, il transpire sous son col dur en celluloïd. Il s'énerve au moment de sortir l'alliance. Un chaste baiser scelle leurs vœux.

À Moe's River un festin les attend à la maison pour le déjeuner. Pour pouvoir communier à la messe de mariage, les mariés sont à jeun depuis minuit. Les convives à la noce se montrent réservés et très corrects. C'est une réception sans histoire. Quand l'assistance familiale commence à s'échauffer, André annonce que Léona et lui doivent prendre le train de seize heures. André craint les mauvais tours, surtout de son beau-frère Trefflé qui aime bien rire. Il ne veut pas coucher sur les lieux, comme c'est la coutume.

Le soir même, ils sont à Belœil à la maison ancestrale où les deux tantes, qui l'avaient accueilli dans sa prime jeunesse, sont heureuses de les voir, mais le grand-père d'André n'est pas là, étant parti depuis déjà seize ans.

Le lendemain, le voyage se poursuit vers Montréal, où le jeune couple retrouve les sœurs d'Elphège ainsi que des cousins et cousines qu'ils ne connaissent pas.

Le 24 juin, le Québec est en fête pour la Saint-Jean-Baptiste. Ils assistent au défilé des fanfares et chars allégoriques, dont le dernier présente comme toujours un petit garçon à la tête bouclée, représentant le grand saint et un agneau. L'Évangile rapporte que Jean, dit le baptiste, avait déclaré en baptisant Jésus « Voici l'Agneau de Dieu ». De là apparaît la représentation de Jean-Baptiste et de l'agneau.

Une calèche promène les nouveaux mariés à travers la ville. Ils se rendent à l'Hôtel-Dieu, avenue des Pins, que dirigent les Hospitalières de Saint-Joseph, pour voir Berthe, la sœur d'André. Au parloir, une grille en bois blanc les sépare de la religieuse, c'est la clôture du cloître. André présente Léona et Berthe manifeste sa joie de la connaître en lui touchant les doigts à travers la grille. Elle leur explique qu'elle est maintenant infirmière et qu'elle travaille du côté de l'hôpital.

Les amoureux poussent leur exploration jusqu'au grand magasin Dupuis Frères, rue Sainte-Catherine.

À leur retour à Coaticook, Ernest est à la « station » pour les accueillir et la fête continue à la maison paternelle, mais tôt le lendemain André est debout et il est anxieux de regagner la ferme du Rang 3, tel que convenu.

Louis Comtois est généreux, c'est la première de ses filles qu'il marie. Une pleine voiture de ménage arrive à la maison et une vache est attachée en arrière. De son côté, le père d'André lui donne quelques animaux, dont un cheval et un veau. Sa mère, Elphège veut faire sa part : elle lui donne la table de cuisine, qui est dans la remise et qu'on avait jugée trop petite depuis l'agrandissement de la maison. Aussi, comme elle veut mettre une note d'opulence, elle ajoute une petite chaise en bois de cerisier dont le siège est recouvert de velours rouge.

Cette petite terre, adossée à la montagne, les jeunes mariés s'y attaquent avec entrain. Même s'il fut semé un peu tard, le jardin, que Léona a soigné amoureusement, donne quelques légumes frais et promet quelques provisions pour l'hiver.

Quelques mois plus tard, Léona prend un petit air timide :

— André, je crois qu'il y a un événement qui se prépare.

Le futur père reste interdit, un peu gêné. Il est bouleversé et heureux. Il prend sa femme dans ses bras :

— Tu te sens bien ?

— Ah ! oui, je n'ai aucun malaise.

Il embrasse sa femme amoureusement.

André multiplie ses efforts, il engrange le foin et entreprend de labourer un morceau de terre vierge. « L'an prochain je sèmerai de l'avoine », se dit-il.

L'automne avance, des victuailles arrivent de leurs parents et garnissent la cave pour l'hiver. Ils pourront même faire boucherie pour les fêtes.

Quelques semaines plus tard, André dit à Léona :

— Au jour de l'An nous irons chez tes parents, comme ils nous y ont invités, si tu te sens bien.

Léona écrit à sa sœur Marie-Rose, avec qui elle correspond régulièrement, pour lui annoncer cette décision. La saison se déroule sans grande rigueur, c'est un hiver doux. André répare les bâtiments. Les locataires ont négligé les installations. Le travail ne manque pas, André améliore la finition de la maison et bricole un berceau, en y mettant un peu de fantaisie.

Le mois de mars tire à sa fin et Léona n'oublie pas la saison des sucres.

— Sais-tu, j'aimerais beaucoup aller aux sucres chez nous.

— Te sens-tu assez bien pour faire le voyage ?

— Mais le bébé n'arrivera pas avant l'été !

— Alors prépare-toi, je vais demander au voisin de venir faire le train. Nous pourrons passer deux jours, ce sera moins fatigant pour toi.

Ils sont tôt sur la route et, en montant dans la voiture, Léona se sent encore jeune fille, elle est joyeuse. En chemin, elle rappelle à André l'aventure du premier voyage. André prend un air contrarié devant l'allusion, il ne dit pas un mot. Léona le regarde du coin de l'œil. « Je t'assure que c'était drôle de te voir », dit-elle.

— Il ne faudrait pas que ça arrive aujourd'hui. Je vais aller plus lentement.

Leur visite paraît trop courte à Léona, ils reviennent le lendemain soir avec une provision de sirop et de sucre d'érable et des gâteries de la part de sa mère et des filles. Leur générosité comprend aussi des tricots pour le bébé, chandails, bonnets et des chaussons, des roses, des bleus...

André est fébrile, il regarde Léona et il est fier de son état. Il surveille le développement en interrogeant l'avenir. Autour de lui la vie éclate, le printemps bourgeonne, dans l'étable un petit veau tète sa mère, des poussins piaillent et la chatte vient d'apparaître avec deux rejetons. Il travaille aux semences, il sème le jardin lui-même, Léona veut l'aider :

— Il ne faut pas que tu te fatigues.

Depuis deux jours, Léona sent venir son heure et ce matin elle se promène en tenant son ventre, elle sent une vague douleur.

— J'vais aller chercher ma mère, ensuite, si c'est le temps, j'irai chercher le docteur.

Il y a plus de quatre milles, aller-retour, pour ramener sa mère. À son retour Léona est souffrante, le travail est commencé. André part à bride abattue pour aller chercher le docteur à Coaticook, qui se situe à quatre milles de la petite ferme. Lorsqu'il revient avec le docteur, le bébé est déjà au monde. Elphège a assisté la jeune mère.

André reste bouche bée, il lui faut quelques instants pour comprendre ce qui arrive. C'est une fille, une belle et grosse fille.

— Elle doit bien peser sept livres, dit le jeune médecin en prodiguant des soins à la mère.

L'enfant se fait entendre ! André est tout ému quand on lui remet le bébé dans les bras. Ses yeux se voilent.

En ce samedi 15 juillet 1905, André devient père pour la première fois. Elphège, après avoir mis cette fille au monde, réclame l'honneur d'en être la marraine.

Dès le lendemain, dimanche, le grand-père Joseph vient se joindre à Elphège pour la fête. La voiture est parée d'une couverture neuve et grand-mère porte le bébé emmailloté de ses plus beaux atours. André prend les guides pour se rendre à la paroisse Saint-Edmond de Coaticook pour le baptême. Elle se nommera Marie-Blanche, Anna.

La routine reprend son cours. Après avoir approvisionné la maison, André porte le lait de ses deux vaches à la fromagerie et parfois une douzaine d'œufs. Il a coupé un peu de bois durant l'hiver, qu'il réussit à vendre. Le revenu est mince, il faudra beaucoup plus pour faire vivre une famille, songe-t-il.

L'avenir le tracasse. Il n'est pas propriétaire de la terre, qui appartient à sa mère. Considérant la chose normale, il songe à acheter cet établissement pour y faire sa vie en travaillant sans relâche avec l'aide de sa femme.

Les récoltes terminées, il part tôt un matin à cheval pour se rendre chez ses parents. Le soir même il est de retour la mine basse.

— Peux-tu croire, mes parents refusent de me vendre la terre ! Maman s'est montrée très surprise de ma demande, la terre fait partie de son douaire.

— Cette ferme doit faire partie de l'héritage de nos enfants, nous ne pouvons pas vendre de notre vivant, lui avait rétorqué son père. De plus, mon garçon, je projette d'aller passer l'hiver prochain à Montréal. Depuis mon attaque de paralysie, je n'ai pas beaucoup de capacité, tu sais j'ai plus de soixante ans.

André est encore abasourdi de cette réponse. Il est profondément déçu. Il est conscient que son frère aîné a été établi sur sa terre, mais pour lui c'est différent. Il devrait travailler pour améliorer cette ferme, pour ensuite la partager, il ne comprend pas, il n'admet pas.

Le jeune papa reste songeur, il semble désorienté, il fait même une colère à Léona pour une peccadille. Il n'est plus le même. Il rumine son désespoir. Un matin, il éclate :

— Je ne peux pas travailler sur cette terre toute ma vie pour me faire dire que ce n'est pas à moi, s'écrie-t-il.

C'est ainsi que lorsqu'il vaque à ses occupations le cœur n'y est plus. Léona tente de le réconforter. Un soir, elle place la petite debout devant lui en lui disant de regarder et l'enfant fait quelques pas vers son père. Elle a neuf mois.

L'été suivant s'écoule, mais le problème demeure. Quelques semaines plus tard, André revient de la ville :

— Qu'est-ce que tu dirais si j'allais à Sherbrooke pour travailler pour le chemin de fer ? À Coaticook, j'ai entendu dire qu'ils cherchent des hommes.

Léona comprend son désespoir, elle ne peut pas s'objecter. D'un tempérament plus stable, elle aimerait bien continuer cette vie calme, productive et excellente pour la petite Marie-Blanche. Heureusement que l'enfant est là, elle est précoce, elle parle un jargon que sa maman comprend très bien. Elle adore son papa et son papa l'adore, en pensant que déjà une autre fleur éclorera dans quelques mois.

Le mois d'août est consacré aux récoltes, les gros travaux terminés il est temps pour André de donner suite à son projet.

Encore une fois, Marie-Rose est là pour tenir compagnie à Léona et le grand garçon du voisin viendra faire la besogne à l'étable.

En ramassant son baluchon, André a le cœur serré:

— Ne t'inquiète pas, je reviendrai quand j'aurai du travail ou je reviendrai définitivement.

Un grand vide meuble la demeure, André est parti, Léona attend. Le lendemain matin, elle attelle le cheval, place des récipients dans la voiture et elle part joyeusement avec sa sœur et la petite. Elle décide de profiter du beau temps pour aller aux bleuets dans un ancien brûlé, qu'un feu de forêt avait dénudé plusieurs années auparavant.

— Ça nous changera les idées, dit-elle.

De son côté, André ne perd pas son temps. Le chemin de fer Canadien Pacifique cherche un homme pour nettoyer «le feu» des locomotives. Cette expression désignait la chambre à combustion de la chaudière. On utilisait du coke (charbon mou) qui laissait du calcaire dans la chaudière à vapeur.

André ne recule devant rien. Le contremaître est anglophone, lui est bilingue, il s'attire sa sympathie. Le travail est pénible et même dégradant, mais il persiste en espérant un meilleur poste.

Il a loué une chambre tout près de son travail chez un jeune couple. La maison est propre et la nourriture subsistante. Le soir, il passe quelques moments avec les propriétaires et leurs deux enfants.

Sa première paie en main, avec un petit vingt-quatre heures de liberté, il court à Coaticook.

Il arrive avec un paquet de linge très sale, il ne se sent pas glorieux:

— Je ne passerai pas ma vie à faire ça, dit-il.

Il laisse quelques sous et repart.

À Sherbrooke, la ville est partagée entre deux rivières et deux compagnies de chemin de fer. Le Canadian Pacific Railway, le long de la rivière Magog, en haut de la côte, et le Grand Tronc, qui deviendra le Canadien National et qui longe la rivière Saint-François.

Un employé du Grand Tronc demeure à Magog et le soir il emprunte la route du Canadian Pacific pour se rendre chez lui. Il ne manque pas de jaser avec les cheminots, avant de prendre le train. Un soir, il dit:

— Le Grand Tronc recherche un chauffeur.

Cette petite déclaration frappe André. Il part immédiatement après son travail pour offrir ses services.

Dès la fin de semaine suivante, il arrive chez lui, triomphant. Il en a long à dire :

— Enfin, j'ai un meilleur travail, dimanche soir à minuit je commence au Grand Tronc comme apprenti chauffeur. C'est un travail plus humain, je vais voyager entre Sherbrooke et les États-Unis. Aussi, le salaire est meilleur.

En prenant Léona par le cou, il ajoute :

— Tu ne peux pas rester seule comme ça indéfiniment. Nous allons abandonner la terre et déménager à Sherbrooke avant l'hiver. Prépare-toi !

3

L'accident

LA SONNERIE DU RÉVEIL LES FAIT SURSAUTER. « Pas déjà ! » dit Léona. « Reste couchée encore quelques minutes, lui répond son mari, il est cinq heures, il fait encore noir et il pleut. Je vais à la grange pour une dernière inspection. »

Bientôt, Léona se déplace avec fébrilité. Elle court de gauche à droite, elle visite tous les coins, elle se sent gauche ; c'est la première fois qu'elle vit un déménagement.

André revient :

— As-tu pensé à mon gros chandail derrière la porte ? Je viens prendre une bouchée.

— Ah ! Je n'y pensais pas, il y a de la soupe sur le poêle. Veux-tu commencer à faire manger la petite ? Il y a du rôti de porc frais, moi je n'ai pas faim.

— Viens manger un peu, je vais te donner de la soupe, on va être prêts à temps, tu vas voir, à la grange il n'y a plus rien. Tantôt Richard, le garçon du voisin, est venu chercher la chatte.

— Dans la maison il y a encore beaucoup de travail. On n'a pas fini d'emballer les meubles.

— Oui, oui, je vais défaire notre lit.

— J'ai fait beaucoup de soupe, on mangera ça à la dernière minute.

Le bruit d'une voiture leur fait lever la tête : c'est Noël qui arrive avec le chariot tiré par deux chevaux, pour les conduire, avec leur ménage, à la station de Coaticook où le fourgon à bagage sera attaché au train de passagers.

Le silence tombe sur la petite ferme laissée à l'abandon. Les animaux sont retournés à la maison paternelle. Les sacs de légumes, pommes de terre, choux, carottes, navets qui les suivent seront précieux cet hiver. Les conserves de Léona sont minutieusement emballées dans des boîtes. Elle a même, dans un sac à main, des tomates vertes qu'elle avait cueillies pour les laisser mûrir. Ils jettent un dernier regard à leur premier nid d'amour, où ils ont investi le meilleur d'eux-mêmes. Le cœur serré, André remet la clef à son frère.

Le temps est maussade. Avec un soupir, Léona se laisse tomber sur la banquette du train, elle ferme les yeux pour tenter de se retrouver ; son cœur bat la chamade. En serrant la petite dans ses bras, elle se laisse emporter par le roulis, elle revit les derniers moments d'affolement :

— Je pense que j'ai oublié le « petit pot » de Marie-Blanche.

— Non, je l'ai mis dans une boîte.

Après quatre-vingt-dix minutes de parcours, entrecoupé par les arrêts aux petites gares, les voyageurs arrivent à destination, ils sont fatigués. La ville de Sherbrooke accueille une petite famille qui descend du train l'air inquiet et les vêtements un peu défraîchis.

Léona met pied à terre et regarde autour d'elle. Elle lève la tête et manifeste de l'assurance. En ajustant son chapeau de voyage de noces, elle se dit :

— Je ne veux pas avoir l'air d'arriver du fond des bois.

André prend le bébé de quinze mois dans ses bras et conduit sa femme, non loin, à sa maison de pension où la logeuse les accueille.

— Bonjour ma p'tite dame, j'suis heureuse de vous connaître, votre mari m'a beaucoup parlé de vous. Je vous attendais !

Quelques heures plus tard, quand André revient, il explique :

— Notre ménage est rendu à la maison. J'ai d'abord trouvé un charretier, c'était un gros garçon, ç'a pas traîné, que tout était dans le chariot. Rendu à la maison on a failli laisser tomber la petite commode.

Le lendemain, apportant encore son enfant dans ses bras, il entraîne sa femme vers une petite maison en bois, au bout de la rue du

Photo de graduation d'André au Collège Sullivan

Dépôt (traduction du terme anglais pour désigner une gare de chemin de fer) qui s'oriente vers Lennoxville.

En entrant, André s'empresse d'ouvrir le robinet dans la cuisine:

— Regarde, dit-il, il y a l'eau courante ! Et il lui fait voir les W.C. avec un air de triomphe. Finie la corvée de l'eau, dans ton état, je trouve que c'est une grande amélioration pour toi.

Léona se demande si elle rêve, pour elle c'est presque un autre monde. Elle comprend que son mari fait tout ce qu'il peut pour la réconforter. Elle acquiesce de la tête. André déballe une chaise.

— Tiens, assieds-toi. Comme tu vois, la cuisine est passablement grande, à côté, l'autre pièce est plus petite et en haut il y a deux chambres.

L'emplacement fait face au chemin de fer Grand Tronc, qui longe la rivière Saint-François. Ainsi, André peut marcher à son travail en six minutes exactement, mais c'est presque la campagne. Pendant deux semaines, il s'est évertué à battre le pavé pour dénicher ce petit paradis.

— Au printemps, je ferai un jardin, déclare André.

Léona décide qu'ils coucheront à l'étage, de cette façon la chambre des enfants sera tout près. Au rez-de-chaussée la pièce secondaire servira de salon. La cuisine, agrémentée de deux fenêtres et d'une porte vitrée, occupe les deux tiers de l'espace. Le lambris et les armoires ont des traces de peinture blanche et le plancher en bois est recouvert de peinture grise usée.

— Au printemps, je repeindrai, lui promet André.

Le lendemain matin, Léona regarde autour d'elle, elle s'assoit à la table de la cuisine pesamment, une larme roule sur sa joue. La petite grimpe sur ses genoux, l'air aussi désemparé. Le voisinage des rails et leur train d'enfer ont bercé leur nuit.

— Paraît-il qu'on s'habitue, lui dit André, en partant pour aller à son travail.

Léona est seule, elle va et vient, regarde, étudie la situation, évalue les possibilités, c'est mieux qu'à Coaticook, pense-t-elle. Elle met son manteau et son plus beau chapeau, elle soigne la toilette de sa fille et se rend à la petite épicerie que lui a indiquée André.

— Bonjour, ma petite dame, vous êtes nouvelle dans le quartier ? Nous sommes là pour vous servir, j'espère que vous allez vous plaire. Vous avez une belle petite fille.

— Merci, elle s'appelle Marie-Blanche, vous avez beaucoup de choix ici. Je ne sais trop par où commencer. Il ne faut pas que j'achète trop de choses, je ne pourrai pas les transporter.

— Il n'y a pas de problème, madame, un petit garçon vous apportera tout ça après l'école. Je ne suis pas trop occupé, je vais vous aider, je connais ça, allez, avez-vous du sel, du poivre, du sucre?

— Oui, oui, j'ai aussi des légumes. Je vais commencer par de la viande et du pain. Je vais m'installer et je reviendrai demain, merci.

Léona ne se laisse pas abattre, en revenant, elle constate que la petite maison, un peu défraîchie, a quand même belle allure avec sa coquette petite lucarne dans le pignon. Elle accepte sa situation et petit à petit elle s'organise. Bientôt, les rideaux sont aux fenêtres.

Souvent, son esprit vagabonde vers d'autres cieux. Elle avait cru épouser un cultivateur et jouir des grands espaces et la voilà en ville. Elle en ressent encore un certain sentiment de claustration et sa deuxième grossesse, dans son sixième mois, la préoccupe.

Un jour, André revient de la remise, où il a cordé le bois de chauffage, la provision pour l'hiver. Au moment d'entrer dans la cuisine, il entend la mélodie de la sérénade de Tocelli. Léona chante en berçant la petite. Il s'arrête et écoute, la chanson lui réchauffe le cœur, il sent que son rossignol retrouve sa joie.

Les heures de travail d'André sont irrégulières, son trajet se situe entre Sherbrooke et la frontière des États-Unis, à Rock Island. Toujours apprenti chauffeur, il est plein d'espoir et il est heureux, lui qui connaît pour la première fois l'apport d'un salaire de journalier. Il fait des projets.

— J'ai hâte de faire un jardin, déclare-t-il. Si tu veux, ma femme, dimanche je louerai un *boghei* pour te faire visiter la ville avant l'hiver.

Ce jour là, le repas du midi vite avalé, ils partent dans la voiture. Les rayons du soleil d'octobre enflamment les feuilles multicolores.

— Nous allons traverser le pont qui va vers l'est. Regarde à gauche, dans le milieu de la rivière, le petit rocher et le grand pin blanc, on l'appelle le pin solitaire.

Ils longent la rue Bowen et atteignent une rue abrupte, Council Street, devenue aujourd'hui la rue du Conseil. Malgré la raideur de la pente à gravir, ils atteignent le sommet et admirent avec plaisir un ensemble de belles maisons et un parc, où quelques fleurs persistent encore. En face de ce parc leur apparaît une église majestueuse, toute neuve, on y voit encore des échafaudages.

— Je vois ça du train quand on arrive, c'est pour ça que je suis venu ici. Je me suis renseigné, c'est l'église Saint-Jean-Baptiste.

La promenade les ramène jusqu'à la rue Wellington vers le nord. Le dimanche, cette rue, si animée durant la semaine, semble sommeiller avec ses édifices récents et imposants : banque, quincaillerie, magasins, hôtels. Au bout de la rue une vue magnifique s'ouvre à leurs yeux, c'est le confluent des rivières Saint-François et Magog, où cette dernière se jette en cascades. La voiture longe cette rivière en remontant le courant, les promeneurs découvrent les barrages, qui forment autant de sites industriels. Ils s'arrêtent sur le pont Wolf pour admirer la chute qui bouillonne en dessous.

De barrage en barrage ils atteignent le barrage 5 et découvrent un important ensemble d'industries, qui utilisent l'eau du barrage.

De retour, Léona s'exclame :

— Tu as eu une bonne idée, je ne pensais pas que c'était aussi grand, c'est une belle ville, je suis bien contente de ce petit voyage.

Un après-midi, Léona décide de sortir avec la petite et va vers le centre de la ville, qui n'est pas très loin. Un tramway passe devant elles sur la rue King, où Léona découvre les magasins et les boutiques : le coiffeur, la couturière, le marchand de tabac et de journaux. Elle pousse l'excursion jusqu'à la rue Wellington, il fait déjà noir. Là, elle est éblouie, la devanture des magasins étincelle, grâce à l'électricité. Elle revient à la maison, totalement envoûtée. Ce décor ne peut laisser indifférente une jeune femme de vint-cinq ans.

Quand André revient, toute joyeuse, elle lui raconte sa promenade. Rue du Dépôt, l'éclairage est toujours au gaz, mais la rue Wellington et les devantures de magasins sont éclairés par un réseau de lampes à arc.

— Nous irons encore ensemble un soir, lui promet André.

Tous les jeudis matin, le facteur apporte le journal hebdomadaire de langue anglaise, le *Record*. Léona tente d'en prendre connaissance, de déchiffrer quelques passages, mais en vain. « Il me faudrait un dictionnaire », pense-t-elle.

— Sais-tu, j'aimerais bien pouvoir lire le journal. Le peu d'anglais que j'ai acquis en parlant avec nos voisins irlandais à Moe's River ne me suffit pas, je n'en ai jamais lu.

André lui lit les titres, et lui fait lire un article.

— Tous les jours je t'aiderai.

— Tu vas rire, lui dit sa femme, les premières fois que nous rencontrions les Corcoran, Florianne et moi, il fallait bien se débrouiller. Un jour, je voulais dire qu'il ferait noir et je répétais : black, black !

Léona occupe bien ses journées, elle a toujours un morceau de couture à la main. Elle complète le trousseau de baptême, pour lui ajouter surtout des vêtements chauds pour le bébé qui arrivera en hiver, sans oublier l'aînée.

Un matin, elle passe une petite robe en sergé de laine rose toute festonnée à la petite Marie-Blanche, ce sera sa robe des fêtes. L'enfant est ravie, mais quand sa mère veut lui ôter la robe, la petite refuse ! Les explications, les exhortations, rien n'y fait, alors la maman utilise la rigueur et quelques tapes sur les fesses et la robe est rendue.

La saison des fêtes arrive, c'est la première fois que Léona passe cette période loin de ses parents. Son état ne lui permet pas de voyager, l'accouchement étant imminent. Pour elle et André, l'éloignement de leurs familles respectives les confirme dans leur rôle de parents.

Le 24 au matin, André jase, comme toujours, amicalement avec le boulanger. Celui-ci lui dit :

— Vous êtes bien seuls pour Noël. Aimeriez-vous venir dîner avec nous demain ? J'en ai glissé un mot à ma femme, elle est d'accord. Nos deux enfants viendront avec nos petits-enfants et ma femme a toujours de la nourriture pour douze.

— Devine ce qui nous arrive ? dit André en entrant avec ses pains dans les bras. Le boulanger Fontaine nous invite à dîner demain, j'ai accepté. Je commence à travailler à minuit, nous allons passer une belle journée ensemble.

Le matin de Noël une petite guerre éclate, la petite Marie-Blanche ne veut pas mettre la robe rose. Elle pleure, elle crie. André prend la robe et se place devant l'enfant.

— Tu veux mettre ta robe pour papa ?

Un petit signe affirmatif règle le différend.

Grande surprise au jour de l'An. Quelqu'un frappe à la porte, Léona va répondre. André entend des cris et c'est Marie-Rose qui vient les surprendre.

— Pour une surprise, c'en est une ! s'exclame André.

De son côté, Léona n'est pas surprise, sa sœur connaît son état.

— Tu sais, je suis bien contente de te voir, je n'osais pas te demander ça, mais tu arrives à propos, déclare Léona d'un air entendu. Comment es-tu venue ?

— Trefflé est venu me conduire au train à Compton et en arrivant ici, j'ai demandé où était la rue du Dépôt et j'ai marché, comme tu m'avais expliqué dans ta lettre, ce n'est pas loin.

Elle dépose ses paquets sur la table de la cuisine et embrasse la petite, qui la reconnaît à peine. Elle plonge la main dans un sac et en sort une poupée de chiffons qu'elle a fabriquée. La joie éclaire le visage de l'enfant qui embrasse ardemment sa tante.

L'hiver 1907 est bien installé et la neige tombe depuis trois jours. Le matin, dès quatre heures, André travaille à déblayer les abords de la maison à la pelle. Quand il part pour travailler à cinq heures, il est inquiet, Léona croit que son accouchement est pour très bientôt. La veille il a demandé à une voisine de venir voir Léona. La sage-femme demeure tout près et Marie-Rose pourra s'occuper de la petite.

Le soir, quand André revient, il y a un poupon dans le berceau. C'est le samedi 5 janvier et c'est une petite fille. André aurait aimé un garçon, mais il n'en parle pas, deux filles c'est bien, elle est mignonne, il est content. La petite est délicate et plus brune que la première, mais bien en vie. On la nomme Délia, nom de sa marraine et épouse du boulanger du coin, M. Fontaine, le parrain.

Le dimanche, après le baptême, André invite les Fontaine. Marie-Rose a fait merveille, c'est un repas de fête. Sans dire un mot, cette dernière ajoute une fève dans le gâteau. Le 6 janvier, c'est l'Épiphanie, fête des Rois. Soudain le boulanger s'écrie :

— Aïe, il y a quelque chose de dur dans mon morceau de gâteau !

Alors Marie-Rose arrive avec une couronne, qu'elle a fabriquée, pour le proclamer roi.

— Jamais parrain ne fut si bien couronné, noblesse oblige, lui dit André, avec un air taquin.

Le boulanger ne se laisse pas décontenancer.

— Je dépose ma couronne sur la tête de ma filleule, rétorque ce dernier.

C'est la joie des gens simples et heureux. Subitement, la veillée est écourtée par le parrain qui s'exclame :

— Roi ou pas, il faut que je prépare ma pâte à pain pour demain. Bonsoir mes amis.

Le jeune ménage apprend à connaître la ville. Le dimanche, avec les enfants sur un traîneau, ils visitent les alentours. La rue du Dépôt avec la gare et l'hôtel Union qui l'accompagne a son importance. Cette artère débouche sur la rue King Ouest et devient en effet le chemin privilégié des voyageurs, qui vont de la gare au centre des affaires. Les hôtels se situent près de la gare et le carrefour King-Wellington en acquiert un grand prestige. Toutes les lignes de tramways passent dans le centre-ville. C'est le cœur de la ville qui se développe.

André est toujours apprenti chauffeur. Les giboulées de mars l'occupent, mais le soleil en retour fait des percées. Par ailleurs, son imagination toujours incandescente n'a pas besoin de stimulant. Un soir, il revient à la maison tout excité :

— La compagnie affiche un poste de chauffeur à Montréal. Paraît-il que le commerce de fret du Grand Tronc prend de l'expansion. Qu'est-ce que tu en penses ? Je deviendrais chauffeur.

Léona penche la tête.

— C'est bien loin, Montréal, dit-elle.

Au fond, elle connaît son homme et elle sait que c'est lui qui décidera.

André hésite, mais l'équinoxe du printemps l'invite à la hardiesse. Il ne peut résister à l'attrait du renouveau, la décision est vite prise. Il part pour Montréal.

Il revient le lendemain et raconte :

— Pour rencontrer le boss, j'ai bourré les talons de mes bottines avec des journaux pour atteindre la grandeur requise, il me manque un gros demi-pouce pour atteindre cinq pieds et huit pouces.

Au bout d'une semaine, il est convoqué à Montréal. Il explique à sa femme qu'il doit suivre le cours d'ingénieur stationnaire qu'exige la compagnie. Il repart plein d'espoir.

Léona attend. Elle s'occupe et elle entreprend de se confectionner une robe neuve pour l'été. Elle court à la boutique, avec ses deux enfants. Elle découvre une jolie pièce d'indienne fleurie, elle achète un peu de dentelle blanche pour la finition. André va aimer ça, pense-t-elle.

Elle est souvent interrompue dans son travail par les petites, surtout l'aînée qui s'ennuie de son père. Il est parti depuis plus de huit jours.

Au bout de douze jours, à son retour, il trouve une Léona assez maussade :

— J'suis bien patiente, mais je commençais à m'inquiéter, tout ce temps sans nouvelles.

— Penses-tu que je pourrais t'abandonner ? Je vais t'expliquer.

Il tente de la caresser, mais elle lui tourne le dos.

— Écoute, tout d'abord j'ai réussi le cours et je suis devenu chauffeur en titre. Samedi dernier, le boss m'a demandé de commencer tout de suite, il y avait un train « extra » et la compagnie avait besoin d'un chauffeur immédiatement. Je ne pouvais pas refuser, j'ai fait la semaine. À l'avenir, mon port d'attache est à Montréal, la semaine prochaine au bout de six jours je pourrai revenir.

Quand il revient, Léona lui apprend que le bébé a été malade.

— J'ai fait venir le docteur, elle avait de la fièvre. Il lui a donné une petite pilule. Je l'ai payé, mais je n'ai plus d'argent.

André s'empresse de sortir son porte-monnaie.

— Je viens d'avoir ma paie.

Après un long silence, il déclare :

— Ça ne peut pas durer comme ça. Accepterais-tu de déménager à Montréal ? La semaine prochaine je chercherai un loyer. La compagnie offre de transporter notre ménage gratuitement.

Léona ne dit pas un mot. (Qui ne dit mot, consent.) « C'était à prévoir », pense-t-elle.

Le samedi suivant, au moment d'entrer en gare, André remarque que la rivière est élargie, elle déborde. La débâcle charroie les glaces. L'eau menace d'atteindre la voie ferrée.

Léona est énervée.

— La voisine m'a dit que ça peut monter jusqu'à la maison.

— Je ne pense pas, lui dit André, au Dépôt on m'a dit que l'embâcle qui s'était formé à Brompton a cédé. D'ailleurs, tu ne verras pas un autre printemps ici, j'ai déjà quelque chose en vue à Montréal.

Pas de peinture, pas de jardin, mais un déménagement, pense Léona.

*
* *

Le mois de mai 1907 les retrouve dans le quartier de Côte-Saint-Paul, à Montréal, à proximité de la cour de triage où André doit se rapporter. Toutefois, il a pris soin de choisir un logement assez éloigné du bruit de la ferraille. Pour Léona, c'est déjà sa troisième maison, après seulement vingt-trois mois de mariage.

Elle accepte son destin, en se disant que la ville a ses attraits, d'autant plus que sa sœur Florianne demeure dans le quartier Saint-Henri, pas très loin. Sa sœur avait épousé Jimmy Corcoran. Ce dernier, un Irlandais, était un descendant des émigrés de la grande famine de 1845. Ceux qui ont résisté à l'épreuve de la traversée se sont intégrés à la population et, comme ils sont catholiques, ils ont établi des relations avec les francophones, fréquentations qui ont souvent tourné en idylles.

La maison de deux étages, en bois, est peinte en gris, comme le veut la coutume. Cette couleur se marie mieux avec la suie que rejettent les locomotives du chemin de fer et qui colle aux maisons.

Ce nouveau logis au rez-de-chaussée est accueillant. Le matin, le soleil inonde la cuisine. Une petite cour arrière permet à Léona de s'installer dehors avec les petites. Léona n'aime pas faire tapisserie sur la galerie avant. Sa nature de campagnarde n'est pas prête à s'exhiber dans la rue.

Un après midi, la voisine d'en haut vient la trouver. Léona s'empresse de sortir une chaise.

— Bonjour, je m'appelle Léona.

— Moi, c'est Marguerite. Mon mari m'a dit qu'il connaît votre mari, lui aussi travaille au Grand Tronc.

— Ça me fait plaisir de vous connaître. Il y a longtemps que vous demeurez ici ?

— Presque deux ans, après la naissance de notre petit garçon. Il dort en ce moment. Vous avez deux belles petites filles, je les ai vues.

Elle raconte sa vie, elle a l'habitude, c'est une citadine. Les confidences de Marguerite entraînent Léona qui, finalement, s'ouvre à cette jeune femme. Elle réalise que cette présence lui apporte un réconfort.

Bientôt, Marie Blanche se présente à la porte, elle a fini son somme. Elle appelle sa mère. Léona plie son ouvrage, elle a toujours une aiguille aux doigts.

— Elle aura deux ans en juillet.

Un cri attire l'attention en haut. Comment s'appelle votre petit garçon ?

— Il s'appelle Roger, il faut que je monte.

— Vous viendrez nous le montrer.

Le soir, André a souvent une histoire de chemin de fer à raconter :

— Hier, le conducteur avait un p'tit coup dans l'nez et il m'apostrophe : « Aïe le chauffeur, le train est long, il faut que ça chauffe. » Sans qu'il me le dise deux fois, j'ai bourré le foyer de la chaudière, pendant que le conducteur sommeillait d'un œil. Quand il a pris conscience, le degré de la vapeur était critique... Il a eu chaud, il n'a plus crié après moi.

André rit, il est content de son coup.

Un dimanche, André ne travaille pas, il annonce :

— Nous allons prendre les tramways et aller voir mes parents.

Joseph et Elphège sont installés à Montréal depuis deux ans, rue Saint-André, sur le Plateau Mont-Royal. Laura est avec eux. Ils ont laissé Noël avec Ernest. La bonne, Elisabeth, a repris sa liberté, après avoir reçu une compensation de cent dollars.

Léona prépare les enfants, la famille est habillée de neuf et André arrive chez ses parents avec fierté. Il y a longtemps qu'ils ne se sont pas vus.

Sa mère les embrasse et les accueille avec une grande joie, mais Joseph est réticent devant ce fils qui a abandonné la terre. La petite Marie-Blanche réussit bientôt à le faire sourire. Laura les garde à souper et l'atmosphère se détend. Pierre, qui est maintenant médecin, demeure à l'étage. Il vient les saluer.

— Il y a beaucoup d'avenir dans le chemin de fer, leur dit-il.

— Je me sens mieux, lui dit son père, la semaine prochaine nous partons pour Coaticook. Nous allons y passer l'été.

Le 24 juin, à l'occasion de la Saint-Jean-Baptiste, comme à l'habitude, il y a l'important défilé dans les rues de Montréal. Ils descendent du tramway et vont s'installer au bord du trottoir. André porte le bébé. Léona a prévu un chiffon pour permettre à la petite fille de s'asseoir sur le trottoir. Alors qu'ils attendent le défilé avec patience, une image traverse l'esprit de Léona :

— Sais-tu qu'il y a trois ans nous étions à Montréal en cette même fête ? Elle sourit en regardant André.

— Oui et il faisait bien beau, mais j'avais les bras moins chargés. Ils éclatent de rire.

Les journées sont parfois longues pour Léona, alors elle prend le tramway avec ses deux enfants pour se rendre chez sa sœur Florianne. Léona arrive, pimpante. Elles se font mille confidences. Sa sœur lui annonce qu'elle attend un enfant à l'automne. Son mari, Jimmy, est menuisier.

Léona a découvert la présence d'un oncle, Xavier Dumontier, marié à Délia Mercure, la sœur de sa mère. L'oncle exploite une entreprise en construction générale rue Wellington. Ce voisinage permet à Léona de connaître cette tante et d'avoir une relation de famille. La tante a une attention particulière pour le bébé qui porte son nom.

Un jour, sa tante Délia lui annonce que son frère, Damien Mercure, vient d'ouvrir un magasin général dans Saint-Henri, un quartier à l'entrée du pont Victoria, le premier pont qui relie l'île de Montréal à la terre ferme. Depuis 1899, il permet la circulation des voitures et du chemin de fer.

Un après-midi, cet oncle demande à Léona :

— Je cherche de l'aide pour le magasin, ta tante n'est pas toujours capable de venir m'aider. Penses-tu que ton père accepterait de m'envoyer une de tes sœurs ?

Le même jour, Léona écrit à ses parents et bientôt sa sœur Léda vient la rejoindre. C'est un rayon de soleil dans la maison, elle demeure avec elle. La chambre des enfants est assez grande pour y installer un lit. Tous les jours après son travail, elle revient chez son beau-frère, qui ne manque pas de la taquiner.

Le dimanche matin, elle va à la messe à huit heures pour permettre à André et Léona d'aller à la grand-messe ensemble.

Un dimanche, quand elle revient, Léona constate :

— Ma chère, tu es en jupon, as-tu oublié ta jupe ?

Le jupon à volants et fini d'une dentelle avait fait office de vêtement de dessus. La jeune fille est prise de honte et court dans sa chambre pour pleurer. Léona va la consoler en lui affirmant que personne ne s'est rendu compte de sa méprise. Longtemps les taquineries, surtout celles de son beau-frère, lui rappelleront cet incident.

Les mois passent, André est toujours aussi enthousiasmé par son travail. Il y a près d'un an qu'il est employé du Grand Tronc et les cheminots forment une sorte de famille. Une émulation se crée entre le conducteur et le chauffeur. Quand la voie ferrée est montante, il faut plus de vapeur. Par défi, le chauffeur y va un peu fort avec la pelle à charbon pour montrer ses capacités et gêner le conducteur. De son côté, celui-ci laisse échapper la vapeur pour stimuler le chauffeur.

Ce sont de jeunes hommes pleins d'ardeur, qui jouent à l'apprenti sorcier avec une puissance prodigieuse. La sobriété est l'apanage d'André, mais il n'en est pas de même de ses compagnons. Le soir à la maison il raconte ses taquineries à Léona.

— Tu ne penses pas que ça pourrait être dangereux ces jeux-là ? lui dit-elle.

Le soir, après souper, André lit *La Presse.*

— Sais-tu, ma femme, que la ville devient importante. Le maire annonce que la population atteint les 380 000 habitants.

— Oui... répond Léona, sais-tu ça fait deux jours que le bois de chauffage est arrivé, il faudrait bien le corder.

André serre les mâchoires et il se lève.

Ce matin-là, il est parti tôt de Montréal vers la frontière des États-Unis. C'est un « extra ».

Le conducteur se console de sa fin de semaine perdue et il y va fort sur la manette à vapeur et le chauffeur contente son orgueil en redoublant son ardeur. File, file, file mon navire... Soudain, le train s'emballe, la pression monte toujours, le conducteur tente de ralentir, il freine dans une courbe et c'est la catastrophe, le déraillement.

Le lendemain, Léona est à l'hôpital Royal Victoria. La compagnie a envoyé une voiture la chercher en lui disant qu'André a subi un accident grave. Il vient de sortir de la salle d'opération. Le médecin l'accoste :

— Madame, vous êtes l'épouse d'André Van Dendeck ? Le médecin la regarde, il hésite. C'est une mauvaise nouvelle, madame, nous avons dû amputer votre mari de la jambe droite, en bas du genou. Il ne le sait pas encore.

Léona chancelle. On la fait asseoir. Tout le monde parle anglais autour d'elle. La civière arrive, elle s'approche du lit. André est à peine conscient. Elle pose sa main sur son front en l'appelant :

— André, c'est Léona…

Il entrouvre les yeux et les referme, il sait qu'elle est là. Elle ne parle pas, il saura bien assez vite.

Après une nuit de cauchemars, elle revient le lendemain. En entrant dans la chambre, elle voit un homme désespéré. Il la regarde longuement et durement, pas un mot ne sort. Elle met la main sur son front : « Je sais », dit-elle. Il ferme les yeux, les larmes commencent à couler, bientôt ce sont des sanglots, en hoquetant il crie :

— Les cochons, ils m'ont coupé la jambe.

Il s'agite, il crie. Le bruit attire l'infirmière. Elle lui fait une piqûre. Léona sort de la chambre, elle pleure. L'infirmière lui donne un petit comprimé, elle ne veut pas le prendre.

— Vous le prendrez ce soir, avant de vous coucher.

Au déjeuner le lendemain, dans un geste théâtral, André envoie son plateau à terre en s'écriant :

— Je ne veux pas manger, je n'ai pas faim.

Autour de lui tout le personnel est nerveux, il faut refaire son pansement ce matin. Le chirurgien vient le voir :

— Monsieur, nous allons vous administrer un sédatif puissant pour vous aider à subir cette intervention.

— J'en ai pas besoin, j'veux voir ce que vous faites.

— Monsieur, nous devons refaire votre pansement et vous devez accepter nos soins.

Dans l'après-midi le médecin-chef vient le voir, Léona est là :

— Monsieur, nous comprenons votre détresse, mais si vous n'êtes pas satisfait de nos soins, nous pouvons vous transporter dans un autre hôpital.

— Dans ce cas, transportez-moi à l'Hôtel-Dieu, j'ai deux sœurs qui sont là.

Les deux religieuses l'accueillent avec toute la sollicitude dont elles sont capables. L'aînée, qui porte le nom de sœur VanDendeck, est chef de service chez les hommes. Elle le fait admettre dans son département et toutes les minutes à sa disposition sont pour lui. Elle lui sacrifie même ses moments de repos. La cadette, sœur Marie de la Présentation, est encore novice et le règlement ne lui permet que de brèves visites à son frère du côté de l'hôpital. Elle est confinée au noviciat.

Peu à peu André se calme et se détend, mais il n'accepte pas. Sa sœur tente de l'aider :

— Nous avons consulté la direction médicale de l'hôpital Royal Victoria et devant l'état de votre jambe, il n'y avait pas d'autre choix.

Un après-midi, Léona amène Marie-Blanche à l'hôpital.

En la voyant, les larmes montent aux yeux d'André :

— Ma petite fille, je ne serai plus capable de te faire vivre.

Quelque temps plus tard, la compagnie du chemin de fer envoie un représentant à André pour voir la progression de sa guérison et lui parler de son avenir.

— La compagnie a des responsabilités envers vous. Nous allons vous présenter des possibilités de compensation. Nous vous offrons, par exemple, un poste de garde-barrière à un passage à niveau, c'est un travail permanent et vous seriez engagé à vie.

André considère cette offre. Un travail aussi sédentaire ne l'emballe pas. À la visite suivante du représentant, il s'enquiert d'autres possibilités.

— Nous pouvons vous offrir une pension à vie ou un montant forfaitaire.

André manifeste de l'intérêt.

— Quel montant ?

— La pension est de vingt-cinq dollars par mois et le montant forfaitaire est de deux mille dollars.

Il en parle à Léona, puis à son oncle Xavier, qui est dans le commerce. Les événements se bousculent, il peut rentrer chez lui. Bientôt la décision est prise. « Je serai commerçant. »

4

Retour à la terre

Le printemps 1908 fait des clins d'œil à la nature, Montréal brille sous le soleil. Les rues de la ville font étalage d'une grande propreté, les accumulations de toutes sortes qu'avait laissées l'hiver sont disparues, le Plateau Mont-Royal affiche un visage besogneux. La petite épicerie au coin des rues Rachel et Coloniale, devenue plus tard la rue Laval, a un nouveau propriétaire. Ce dernier s'affaire derrière le comptoir. Il pousse de la main la jarre de lunes de miel pour faire place à un paquet de biscuits. Un livreur entre, les bras chargés de pains.

— À l'avenir, vous mettrez les fesses sur la tablette du haut de l'étagère, dit-il en payant la livraison.

Après bien des discussions et des hésitations, André a investi presque tout le montant de la compensation du chemin de fer dans l'achat de ce commerce. Le nouveau propriétaire est fier de son installation : un beau bâtiment de deux étages en briques rouges, avec façade vitrée. La famille demeure à l'arrière du négoce, trois pièces minuscules. Où ranger les choses ? se demande Léona, en songeant avec regret au bel appartement de Côte-Saint-Paul. Elle s'installe. Tout l'ameublement de salon est remisé dans l'entrepôt du magasin.

— Plus tard, nous prendrons le logement d'en haut, déclare son mari.

Chez lui, son talent d'organisateur prend le dessus. Sa forte constitution et ce nouvel engagement ont eu raison de son désespoir.

André se déplace avec une béquille, pour refaire l'étalage. Il appelle Léona :

— Viens voir, j'ai changé les choses de place, je calcule qu'il est préférable que les fruits et les légumes soient au fond, loin du courant d'air de la porte. Qu'en penses-tu ?

— Ç'a du bon sens. J'ai besoin d'un pain.

— Prends-en un sans gêne, c'est à toi.

Elle s'en va sans dire un mot, André remarque son air épuisé, elle est enceinte. Il demeure songeur un moment, mais l'entrée d'un jeune garçon, qui vient demander une tasse de riz, le soustrait à ses soucis. Intérieurement, il a foi en l'avenir.

La page est tournée. Un soir, André se décide à raconter à Léona l'histoire de son accident, ce qu'il n'a jamais fait auparavant.

— Tu sais, ce matin-là, nous filions le long du Saint-Laurent, après avoir quitté les contreforts des Appalaches, en nous dirigeant vers le Vermont. Le train était long et lourd. Nous avions plusieurs wagons de métaux, surtout du fer à destination des États-Unis. Près de Coteau-Landing la voie était montante, j'ai chauffé fort pour maintenir la pression haute et garder notre vitesse. Le conducteur n'était pas tout à son affaire, il avait encore fait usage de son petit flasque. Il a négligé de contrôler la vapeur et dans une grande courbe il a perdu la maîtrise, il a freiné, la locomotive s'est mâtée et a déraillé. La locomotive s'est couchée sur le côté et elle hurlait sous la pression de la vapeur comme un animal blessé. Le serre-freins était avec moi, je lui ai dit : « Ça va exploser, il faut sauter. » Le tablier du tender est à peu près à cinq pieds du sol. Pour sauter j'ai mis le pied sur le joint entre l'*engin* et le tender. À ce moment-là, il y a eu un soubresaut, le joint s'est ouvert et refermé sur mon pied. J'ai sauté. En mettant le pied à terre, je n'ai pas senti de mal et j'ai marché en essayant de courir pour m'éloigner. Quand je me suis assis un peu plus loin, j'ai vu que mon pied était en charpie. J'avais perdu ma bottine. Ça saignait beaucoup, le serre-freins est monté sur l'*engin*, qui hurlait toujours, au risque de sa vie, pour prendre la corde de la cloche pour me faire un garrot, sans ça je serais mort au bout de mon sang. Il m'a sauvé la vie. Je n'ai pas perdu connaissance, je me suis étendu et j'ai trouvé le temps long.

Ç'a pris deux heures avant d'avoir du secours. Ils m'ont conduit à l'hôpital Royal Victoria à Montréal et tu sais ce qui est arrivé.

Il hésite un moment.

— Il faut que je te dise, il y a toujours du charbon et du mâchefer le long de la voie. À l'Hôtel-Dieu, Berthe m'a expliqué que le chirurgien de l'hôpital Royal Victoria lui avait dit que dans l'énervement où j'étais, j'ai marché sur ma jambe blessée et la plaie était pleine de mâchefer. Il fallait des chairs fermes pour suturer la plaie, c'est pour ça qu'ils ont coupé en bas du genou. Quand le docteur m'avait dit ça, je pouvais pas le croire, j'avais l'impression de sentir mon pied.

Il s'arrête, c'est la première fois qu'il en parle ouvertement. Il vient d'accepter sa situation.

Il revient à sa décision :

— Tu sais, les barrières qui ferment les routes pour les passages à niveau fonctionnent manuellement et le préposé doit baisser les barrières et actionner la cloche quand le train passe, c'est ce qu'on m'a d'abord offert. J'ai refusé, je ne me vois pas dans cette situation, une tâche à mourir d'ennui.

Au début de l'après-midi, Laura vient les inviter à dîner pour le dimanche suivant. Elle demeure toujours avec ses parents, qui ont passé l'hiver à Montréal. Joseph a acheté au 1176 de la rue Saint-André, près de la rue Mont-Royal, une maison de deux étages. Un bâtiment en pierres, agrémenté d'une jolie corniche.

Cette construction fait partie intégrante d'une série de maisons semblables, accolées les unes aux autres, ne laissant, de la rue, aucun accès vers l'arrière. Là, la maison se termine par un hangar en bois, qui débouche sur une petite cour à l'arrière, donnant accès à la ruelle.

Le dimanche, l'épicerie est fermée. C'est la première fois qu'André va chez ses parents depuis son accident. Il fait beau, ils partent endimanchés, c'est un événement pour les petites. L'aînée, elle aura trois ans en juillet, étrenne des souliers neufs. Aussi, elle est fière de sa robe de velours bleu avec de la dentelle au cou et à la taille que Léona lui a cousue. Le tissu provient d'une robe que Marie-Rose lui a envoyée. Elle était devenue trop petite pour sa plus jeune sœur, Fleurange.

Délia trône dans le landau, elle affiche ses quatorze mois avec satisfaction et un beau sourire. Elle est délicate et la petite robe rose, qui plaisait tellement à sa grande sœur, lui va à merveille. Léona dépose son sac à main au pied du bébé et donne la main à l'aînée.

André les suit péniblement, il n'est pas encore sûr de ses mouvements avec sa béquille. La distance, rue Saint-André, lui paraît longue. « J'aurais fait ça en deux minutes avec mes deux jambes », songe-t-il.

Le trajet paraît également long à la petite qui suit sa mère. Rendue à la rue Marie-Anne, elle se plaint, elle est fatiguée :

— Veux aller dans carrosse.

Le groupe s'arrête. Léona pousse un peu Délia pour placer sa sœur à ses pieds. Au moment où elle tente de déposer l'enfant, des cris stridents sortent du landau. Le bébé n'accepte pas cette intruse. Les cris attirent les regards des passants, les parents sont gênés.

— Je vais la prendre, mets-la sur mon bras.

André fait un bout de chemin péniblement. Soudain, une bosse dans le trottoir le fait trébucher. Il réussit à se maintenir debout, mais en laissant glisser l'enfant par terre. Elle pleure. Léona la prend dans ses bras à son tour pour la calmer. Au bout de quelques minutes, sa grossesse la fatigue. Elle dépose de nouveau l'enfant sur le trottoir :

— Nous arrivons bientôt, dit-elle.

L'arrivée à la maison paternelle provoque un long silence. Elphège a les larmes aux yeux et Joseph doit faire un effort pour cacher son trouble. Leur peine est extrême. Heureusement, les deux petites prennent la vedette, elles embrassent les grands-parents. L'aînée annonce :

— Papa, pu zambe.

On parle du printemps qui fut précoce. On passe à table et peu à peu un semblant de gaieté revient. Le nuage est passé. Laura a tricoté des mitaines, ce sera pour l'hiver prochain, ajoute-t-elle.

Les grands-parents et Laura n'ont pas eu de détails du triste événement, la question leur brûle les lèvres, mais ils n'osent aborder le sujet. Tout à coup, c'est André lui-même qui explique comment il a perdu sa jambe.

— C'est encore bien sensible, je ne peux toujours pas encore endurer un pilon.

*

* *

À la fin d'avril les barils d'huîtres sont annoncés à rabais. André pense qu'il pourra faire un bon profit. Il place une affiche dans sa vitrine et il commence à écailler les mollusques. Les gens entrent, ils sont de plus en plus nombreux, ils sont curieux : « Juste une pour goûter. » André donne à droite et à gauche, il est généreux.

Il en prépare un grand verre pour Léona.

— Que c'est doux pour l'estomac, dit-elle, ça me fait un grand bien.

Le lendemain, le baril est vide, André a recueilli quelques sous, moins que ne lui avait coûté le baril.

— Les gens n'ont pas payé, dit-il, je suis très surpris.

Il réalise qu'il a eu tort de se fier à son entourage. Il ne comprend pas, il est éberlué.

Pour rompre la monotonie, les dimanches, ils font une promenade au parc Lafontaine, situé quelques rues plus loin. Ce parc, instauré à la fin du siècle dernier, fait l'orgueil de l'Est de Montréal. Des canards et des oies se promènent paresseusement sur le grand étang. La basse-cour et les petits animaux de la ferme retiennent le regard et l'imagination des enfants pendant des heures. Les plates-bandes de fleurs, surtout de marguerites, de phlox et d'iris, agrémentent le paysage.

André loue une barque, il a encore ses deux bras, après tout, et il rame allègrement pour la grande joie des petites. Sur un banc, Léona envoie la main aux enfants qui rient.

Le boulot suit son cours ; habituellement, à la fin de la journée, les voisins viennent chercher *La Presse*. Les hommes prennent plaisir à discuter, surtout d'actualité. Ces discussions sont un régal pour André. Il adore parler de politique. Un soir, la discussion prend de l'ampleur, André s'échauffe, il tient à ses idées. Il attaque un de ses amis :

— Vous manquez de jugement, vous ne connaissez rien.

Le voisin est insulté.

— Je vais dire à ma femme de ne plus remettre les pieds ici.

Pour Marie-Blanche la vie est belle. Elle a une amie, une fillette de neuf ans qui demeure dans le logement au-dessus : Eva Laframboise.

Parfois, toutes les deux, elles promènent Délia dans son landau, rue Coloniale. La sortie arrière du magasin est plus discrète et la rue moins achalandée, ce qui veut dire moins poussiéreuse. Certains jours, quand le bébé fait son somme, Eva amène l'aînée chez elle.

André s'intègre dans la vie paroissiale. Le curé de l'église Saint-Jean-Baptiste, rue Henri-Julien, l'encourage de ses conseils. André lui dit qu'il offre ses services comme marguillier. Le prêtre est un peu surpris, il ne le connaît pas beaucoup.

— À la fin de l'année nous aurons des élections, vous serez le bienvenu.

Un jour, il décide de se procurer un pilon, son moignon semble plus ferme. Il se rend chez le cordonnier.

— Enlevez votre pantalon, je vais vous installer cela.

L'instrument est rudimentaire, il en choisit un en bois d'érable, qui lui paraît plus résistant. Le berceau pour le moignon est capitonné de cuir et une sangle retient le pilon à la cuisse. Au moment où il se met debout, André fait la grimace. La cicatrisation de sa jambe s'est effectuée rapidement, mais la sensibilité demeure encore vive. Il revient à la maison péniblement, mais heureux, cette prothèse lui rappelle qu'il a déjà eu une jambe. Son pantalon retombe jusqu'à terre. Les petites le regardent avec de grands yeux :

— Zambe poussée ? lui demande Marie-Blanche.

*

* *

Derrière son comptoir, André est bon prince, il est généreux, même charitable. Les gens font « marquer », c'est-à-dire qu'ils achètent à crédit. Les enfants sont délégués :

— Un quart de pain et une « canne de bines » pour madame Latour.

— Tu diras à ta mère de venir payer, ça fait longtemps qu'elle n'est pas venue, la prochaine fois je ne pourrai pas vous donner de pain.

Tout à coup, André entend des cris dans l'appartement. Ce n'est pas la première fois. Aussitôt son client sorti, il se rend en arrière.

— Léona, c'est terrible ces cris.

— C'est bien difficile d'élever des enfants en silence, rétorque-t-elle.

Sans dire un mot aux petites, il entre dans la chambre à coucher, Léona le suit :

— Ce pilon ne tient pas en place, ça me fait mal.

Son genou est blessé. Il place un tampon de gaze stérile sur la plaie et ajoute un bandage. Il rajuste la sangle et retourne à son boulot. Léona comprend l'origine de son impatience. Encore une adaptation, pense-t-elle.

La petite Délia a maintenant près de vingt mois, une enfant agile et vive, elle a sa personnalité. Elle n'aime pas s'en laisser imposer par l'aînée, qui la domine de ses trois ans. Il y a souvent des cris et des pleurs. Toute leur vie, ces deux caractères diamétralement opposés se heurteront, tout en voulant se faire plaisir.

Quand André doit s'absenter, Léona s'occupe du magasin. C'est une nouvelle expérience pour elle, qui n'a pas connu ce genre de vie dans sa jeunesse. La situation ne l'enchante pas, elle préfère butiner dans sa cuisine. Elle n'arrête pas, elle se sent lasse.

Un matin, le docteur vient de sortir de l'appartement, il traverse le magasin discrètement, il chuchote un mot à André.

— Je ne crois pas que l'enfant survive, c'est une fille, elle manque totalement de vitalité. Elle n'est pas à terme. Pour le moment, je ne peux rien faire.

Il semble se raviser et retourne dans la chambre.

— Madame, prenez le bébé sur vous pour la garder bien au chaud et reposez-vous. Vous semblez en assez mauvaise forme vous-même. Demandez à votre mari de vous apporter un bouillon. Je reviendrai après mes consultations cet après-midi.

André conduit les deux petites chez la voisine en haut et court chercher un prêtre pour baptiser le bébé, qui se nommera Gabrielle. Le lendemain, il y a un petit cercueil blanc sur le bureau de la chambre à coucher. Léona et André ont perdu leur troisième enfant.

Une voisine a vu le va-et-vient et offre ses services. Le corbillard, mu par un cheval, transporte le père à l'église et au cimetière. Il revient au bout de quelques heures, après avoir payé le curé et le croque-mort. Il n'a rien ménagé, c'était son enfant.

Un jour où Léona garde le magasin, elle jette un coup d'œil à l'état des comptes, elle examine les soldes. Bientôt, le sang lui monte au visage. Elle n'en revient pas, elle ne connaît pas ce que c'est que des dettes, mais là, c'est incroyable. Les clients laissent monter leurs comptes.

Un petit bonhomme se présente, il a une liste : patates, du beurre, du pain et quatre pommes pour madame Latulippe.

— As-tu de l'argent pour payer ?

— Non, c'est pour marquer.

Léona regarde le compte des Latulippe : 50 $!

— Va dire à ta mère qu'il faut qu'elle vienne payer.

La mère vient avec une piastre.

— Quand allez-vous payer votre compte ?

— Mon mari va avoir un chèque de paye le 15, je vais venir vous en donner.

Le soir, elle discute du cas avec André.

— Tu sais, le mari aime la bouteille et le 15, personne ne viendra à l'épicerie. Même, quand le compte est très haut, les gens disparaissent dans la nature...

— J'ai refusé de marquer, dit-elle.

— Tu as bien fait, les gens ne sont pas raisonnables. Moi, je ne suis pas capable de refuser.

— Ensuite j'ai trouvé dans ton tiroir une liasse de factures des fournisseurs, non payées.

— Je ne fournis pas, j'ai pas assez d'argent.

Son inexpérience dans le commerce le rend vulnérable devant les marchands en gros. Peu à peu la situation se gâte. André ne réalise pas que de leur côté les grossistes abusent de sa naïveté en chargeant le plein prix, ce qui pousse André à vendre à rabais pour satisfaire sa clientèle.

Un après-midi le facteur apporte une lettre de Florianne. Elle vient d'avoir une fille, elle s'appelle Véronica. Léona s'assoit pour lui répondre. Elle lui annonce la perte de son dernier bébé et lui confie que les affaires ne vont pas trop bien.

Bientôt, André est assailli de toutes parts. Les fournisseurs le harcèlent. Il ne peut plus répondre à la demande des solliciteurs. Son fond de roulement ne peut supporter une si mauvaise gestion.

Un matin, dès huit heures, l'huissier se présente. En lui tendant une feuille, il lui dit :

— Monsieur, vous avez des dettes de huit cents dollars et quarante-deux cents et vous avez vingt-quatre heures pour payer. Sinon, demain nous mettrons le scellé sur la porte.

André court chez le cordonnier, qui s'est vanté de sa réussite et lui a manifesté beaucoup de sympathie. Il veut emprunter cinq cents dollars pour calmer les créanciers.

— Cher monsieur, je voudrais bien vous aider, mais dans le moment j'ai moi-même des obligations à rencontrer.

La visite suivante est pour ses parents et son frère. Ils n'ont pas d'argent comptant, tout est investi pour leur créer une rente. De son côté, son frère Pierre, qui commence sa pratique comme médecin, ne se sent pas capable de s'engager pour une telle somme.

Le lendemain, le couperet tombe, c'est la faillite après seulement six mois d'exploitation. André est ruiné.

Après la vente du magasin par le syndic, la famille est expulsée. Les grands-parents accueillent leurs enfants. Leur logement, au rez-de-chaussée, comprend une chambre pour la visite... les exilés s'y entassent. Les quelques meubles qu'ils possèdent encore sont entassés dans le hangar, excepté les lits des enfants.

Léona est triste à mourir. Elle réalise qu'ils en sont réduits à la mendicité. Elle l'accepte mal. Elle est là sans dire un mot à écouter le grondement de son désespoir. Tout à coup, elle se précipite dans la chambre. L'écho de sa douleur glace son entourage.

Le grand-père sort en disant : « Je m'en vais à l'église. » De son côté, Laura s'occupe des petites et les emmène en promenade. André est prostré dans un coin du salon.

Bientôt, Elphège entre dans la chambre avec un bouillon.

— Je pense que vous n'avez pas mangé depuis le matin. Ma fille, dit-elle, il y a des moments bien tristes dans le mariage, mais tout passe. Faites-vous un brin de toilette et venez en avant, les autres vont rentrer.

Le soir, dans leur chambre, André lui déclare :

— C'est ma faute.

Les larmes coulent silencieuses, il étreint sa femme.

— Qu'est-ce qu'on va devenir ?

— Comme dit ta mère, tout passe. Nous verrons demain.

Malgré la générosité de ses beaux-parents, Léona a peine à accepter sa situation. D'autre part, son courage lui commande de soutenir son mari, qui semble tout à fait démoralisé et parfois irascible. Souvent, elle se retire dans sa chambre pour prier.

Pour les enfants, c'est une veine, la maison est grande. Marie-Blanche court de l'arrière à l'avant. Léona lui dit d'arrêter, elle sent que le va-et-vient de la petite fatigue le grand-père. Un jour que ce dernier est sorti pour aller à la messe chez les Pères du Saint-Sacrement rue Mont-Royal, elle court :

— Grand papa pati, Bianche courir.

La situation est délicate et la tension monte. Un soir, son frère Pierre, qui demeure à l'étage, les invite chez lui après le souper :

— Nous n'avons pas d'enfants, nous avons de l'espace, si vous voulez venir vivre avec nous, Annie et moi, nous vous invitons.

Toute la famille respire mieux. Malgré tout, André demeure songeur. Il lit les journaux en se demandant quoi faire. Une annonce du collège commercial O'Sullivan attire son attention.

— Si je suivais un cours ? Si je suivais un cours du soir en tenue de livres, c'est une chose que je pourrais très bien faire. Je suis capable, le calcul a toujours été ma branche forte à l'école.

Toute la famille approuve son idée, il s'inscrit. Pendant ce temps, Léona apprend à connaître sa belle-sœur, Annie. Une jolie brune, dont les cheveux ondulent naturellement, elle est d'origine irlandaise. La compagnie de cette jeune femme apporte un grand réconfort à Léona. Elle-même a repris de la vigueur avec un fortifiant que lui a prescrit son beau-frère. Elle se lance dans la couture. Elle confectionne même une robe pour Annie.

Cinq soirs par semaine, André part, clopin-clopant, pour se rendre à son cours. Le voyage qu'exige cette sortie représente une dure épreuve pour lui. Les déplacements d'un tramway à l'autre vers la rue Sherbrooke lui causent un grand embarras. Sa gaucherie blesse son orgueil. Un soir il veut sauter d'une marche à l'autre en montant dans le tramway, il manque son coup et se retrouve à genou. Le conducteur se lève pour l'aider.

Ce jeune mutilé de vingt-cinq ans s'agrippe à la rampe et se relève le plus rapidement qu'il peut. Il réalise que son bras n'a plus sa force herculéenne, ni lui, l'agilité de ses vingt ans. Il se voit dans sa jeunesse, alors qu'il pouvait sauter par-dessus les clôtures comme un chevreuil.

À son retour à la maison, il partage sa désillusion avec Léona. Elle-même en ressent un profond déchirement :

— Avec le temps, tu retrouveras plus d'assurance, affirme-t-elle.

Puis, changeant brusquement de sujet :

— *La Presse* annonce que la compagnie Eaton présentera un grand défilé pour l'arrivée du Père Noël dans son magasin.

— C'est une nouveauté, déclare André, faudrait bien aller voir ça !

— C'est quand ?

— C'est samedi, sur la rue Sherbrooke.

— Tu ne penses pas que ça va être trop fatigant pour toi ?

— Ah ! non, je voudrais bien voir ça ! Nous amènerons Marie-Blanche.

Le lendemain soir, il revient du cours avec une grande nouvelle.

— Imaginez-vous donc que je pourrais avoir du travail dès maintenant. Le professeur a reçu une demande pour un comptable dans une quincaillerie. Comme je suis passablement avancé dans mes études, le professeur me suggère d'accepter l'offre d'emploi, tout en continuant mon cours le soir. J'irai les voir samedi.

Léona aimerait bien une petite diversion dans sa vie. Elle aussi elle est jeune. La compagnie de sa belle-sœur et sa bonne humeur ont ravivé son énergie. Elle manifeste son désappointement à Annie.

— Et si on y allait toutes les deux ?

De son côté, André part plein d'espoir. À son retour, il raconte :

— Je commence à travailler à huit heures lundi matin à la quincaillerie Galarneau, sur la rue Craig. Le gérant me prend à l'essai. L'aide-comptable a donné sa démission pour cause de maladie et vu le surcroît de travail du mois de décembre, il est urgent de le remplacer.

Une vie presque normale commence et permet un peu de gaieté dans la demeure. Même, la joie éclate le matin de Noël. Cette joie n'atteint pas André, il demeure d'humeur sombre, il se sent démuni, il n'a pas de cadeau à offrir à sa femme et ses enfants. Il n'a pas osé dépenser, même quelques sous.

Le jour de l'An au matin, la maisonnée descend chez le grand-père pour lui demander sa bénédiction. Le moment devient solennel, Joseph se lève de son fauteuil, il a revêtu son costume du dimanche, il les attendait. Il les regarde longuement, tous agenouillés à ses pieds, et, d'une voix étranglée par l'émotion, en levant la main, il appelle les bienfaits du Seigneur sur leur tête.

Midi vient de sonner à la comtoise, quand des pas résonnent sur le perron en secouant la neige. C'est Hector, de Saint-Jean-sur-le-Richelieu, avec sa femme, Rose-Emma, et ses enfants, Alice et Joseph-Hector, et, grande surprise, le benjamin Ernest, qui arrive de Coaticook. Les voyageurs se sont rencontrés à la descente du train. À ce moment, la cérémonie de la bénédiction se renouvèle avec autant d'attendrissement. Joseph s'exclame :

— Mes enfants, je suis très heureux de vous avoir avec nous, c'est une grande bénédiction du ciel ! Demandons-lui de nous accorder ses grâces tout au long de la nouvelle année.

Autour de la table, Laura et Elphège s'affairent avec ravissement, les plats circulent dans l'allégresse. La conversation est animée, Ernest — il a eu vingt ans au mois d'août — égaie la famille avec les anecdotes de la ferme :

— Noël vous envoie ses vœux, voici sa lettre. La récolte de patates a été extraordinaire cet automne. J'en ai apporté un sac, je l'ai laissé à la *station*. Ils vont le livrer demain. Aussi, il y avait une grande provision de noisettes, ça veut dire que l'hiver va être long. La grosse truie a bousculé Noël par en arrière et il s'est étendu dans la mare. J'ai ri, mais lui n'a pas trouvé ça drôle, il ne m'a pas parlé durant deux jours.

Tout à coup, il se met à tousser, une toux creuse qui affole immédiatement sa mère :

— Ce sont tes bronches, dit-elle en regardant le docteur. Prends-tu du sirop pour le rhume du Dr Watkins ?

— Aujourd'hui, on prétend que l'atmosphère sèche de l'Ouest canadien favorise la guérison des poumons des tuberculeux, tu pourrais essayer ça, lui dit son frère.

Durant le mois de janvier, la ville est à demi paralysée par les bordées de neige. Les gens circulent à grandes enjambées, le nez enfoui dans leur col de fourrure. Un matin, André a peine à atteindre le tramway, il lui faut deux fois plus de temps que d'habitude, il arrive en retard à son travail. Il se retrouve avec ses compagnons, qui sont dans le même cas. On en rit, il est tombé deux pieds de neige, dit l'un, trois pieds, dit un autre.

La nouvelle année augure les meilleures choses pour André et sa famille. Il se sent complètement intégré et il se réjouit de l'ambiance chaleureuse à son travail.

Il se familiarise de plus en plus avec les colonnes de chiffres, à la grande satisfaction de son patron. Il a de nouveau foi en l'avenir.

L'effervescence se fait sentir dans l'entourage, c'est la période de fin de cours en comptabilité. André se sent confiant, mais il ne peut refréner un trac de jouvenceau. Il pense à la science qu'il a mise en pratique à son travail et s'encourage.

Quelques semaines plus tard, sur le buffet de la salle à manger chez son père, trône une grande photo, montrant une quarantaine de jeunes hommes, dont André fait partie. Ce sont les gradués du cours commercial, mais le diplôme d'André, encadré, trône au mur de la cuisine de Léona.

— Sais-tu, Léona, aussitôt que les beaux jours vont arriver, nous pourrons déménager, pour être encore une fois chez nous.

Bientôt, le déménagement dans une maison de la rue Chambord s'effectue rapidement. Un appartement de quatre pièces au rez-de-chaussée, pas d'escalier pour André et une cour pour les petites. André est fier de lui.

— Tu vois, Léona, en choisissant un loyer du côté ouest de la rue, nous avons le soleil de l'après-midi dans la cour.

Léona s'acclimate à sa vie de citadine, à la routine des livreurs de lait, de pain. Un matin, elle entend une ritournelle qui vient de la ruelle : « Des oignons bien ronds, des tomates, des gros navets, des belles pommes et des bana-a-a-nes. »

Un matin, plein de joie et d'enthousiasme, André déclare :

— J'vais faire un jardin, je rapporterai des outils de chez Galarneau ce soir.

— La cour n'est pas bien grande et tu sais que les locataires d'en haut ont droit d'y venir, surtout les enfants. Tu ne te surprendras pas si tes plates-bandes sont piétinées.

Sans tenir compte de cet avertissement, en arrivant le soir, il bêche la terre et sème les graines de laitue et de radis qu'il a rapportées.

Les grands-parents sont partis à la campagne pour l'été, ils sont laissés à eux-mêmes, mais l'imagination leur est bonne conseillère.

Léona organise un pique-nique au parc Lafontaine pour marquer le quatrième anniversaire de Marie-Blanche.

Les deux enfants dans le landau, ils marchent allègrement, ils se sentent en pleine forme et la tête pleine de papillons roses. Ils ignorent que cette vision chimérique qui les habite est mensongère et qu'une nouvelle épreuve les attend.

La direction de la quincaillerie décide de procéder à un grand ménage, du sous-sol au troisième étage. Ça veut dire un inventaire détaillé. Avec un compagnon, André commence à l'étage supérieur, six grandes marmites en granit bleu, quatre de deux pintes, et trois de deux chopines, des casseroles de tous genres, des ustensiles de cuisine de maison, d'hôtel et de chantiers. Tout un rayon de vaisselle. Rendus au sous-sol, ils découvrent des instruments aratoires, des pompes et des moteurs, etc.

— Aujourd'hui j'ai fini l'inventaire au sous-sol. Il faisait chaud, j'ai pris un verre d'eau au robinet qui était là. L'eau avait mauvais goût. Je pense que ce robinet-là ne sert pas souvent, c'est peut-être pour ça que l'eau était jaune.

Le lendemain il se lève la tête lourde, il part pour la quincaillerie sans entrain. Deux jours plus tard il est vraiment malade, il a une forte fièvre.

— Hier soir, j'ai averti Morin que je ne me sentais pas bien, dit-il.

Léona se rend chez son beau-frère dès le matin.

— Il est parti faire des visites à ses malades, lui dit Annie, je vais lui dire à midi.

Après avoir pris la température du malade, le docteur fronce les sourcils :

— Léona, habille-le chaudement, je vais le conduire à l'Hôtel-Dieu. Les symptômes indiquent une infection maligne, je crains la typhoïde. Après tu laveras les mains des petites filles et tu les enverras dehors. Ébouillante toute la vaisselle et tout ce qui a touché à André. Lave partout avec du caustique, surtout le siège des cabinets.

À l'hôpital, on confirme le diagnostic, c'est la typhoïde. André est isolé, pas de visiteurs. Ses deux sœurs religieuses le surveillent de près et même le gâtent un peu de leurs délicates attentions.

De son côté, Léona n'a que la tristesse et l'inquiétude en partage.

Elle s'occupe courageusement de ses enfants et elle écrit à Marie-Rose et à Florianne.

Le séjour à l'hôpital dure six semaines. Dès que l'interdit est levé, Léona accourt. Une voisine garde les enfants. Un jour, elle décide d'amener Blanche, elle a quatre ans. Il faut prendre les tramways. Au moment de monter, la petite veut gravir les marches toute seule, mais ses jambes n'ont pas la taille voulue. Sa mère veut la prendre dans ses bras pour la soulever, alors elle s'écrie : « Non ! » et se jette au sol en hurlant de colère. Le conducteur descend et la ramasse avec brusquerie et l'assoit sur un siège. La petite reste sans voix. Tous les passagers les regardent. Malgré sa gêne, Léona apprécie la leçon, en songeant que sa fille possède un tempérament fougueux et coléreux comme son père.

Son frère Pierre surveille André durant sa convalescence.

— Mon pauvre vieux, la ville ne semble pas te convenir, tu devrais retourner à la campagne.

Cette réflexion frappe le pauvre handicapé. La campagne représente le grand air et l'indépendance. Il commence à rêver. Un jour, Léona n'est pas surprise de l'entendre dire :

— Je pense qu'on devrait retourner à la campagne.

Une correspondance s'établit avec Noël, toujours sur la ferme paternelle à Coaticook avec Ernest. La réponse arrive rapidement : « Les terres sont rares, mais il faudrait que tu viennes », écrit Noël.

Ernest les accueille à la gare, André le salut d'un petit bonjour. Léona comprend qu'il est ému et même dépité.

En arrivant, Blanche veut courir dehors :

— Viens enlever ton beau manteau, lui dit André.

Léona est dans la maison depuis quelques heures seulement et déjà l'atmosphère a changé. Elle ramasse les vêtements qui traînent dans la cuisine, elle lave quelques morceaux de vaisselle jetés dans l'évier. Elle ouvre les rideaux avec un soupir de contentement, elle se sent chez elle. Au moment de se coucher, elle est très fatiguée, mais heureuse, elle s'endort comme cela ne lui est pas arrivé depuis longtemps.

— On est bien ici, on est bien ici, répète la petite Marie-Blanche.

En 1916, André et sa famille dans leur McLaughlin-Buick

Le dernier voyage chez l'oncle Noël à Coaticook

5

L'abandon

La voiture brimbale dans des chemins caillouteux. Un petit chemin d'où la terre s'envole en poussière et qui serpente d'une colline à l'autre. Cette route semble vouloir atteindre le ciel. Le panorama s'y ouvre sur la crête des montagnes verdoyantes, piquées de sombres conifères et mouchetées de rouge et de jaune.

— C'est ici, déclare André en arrêtant le cheval et en consultant le cadastre qu'il tient en mains.

Sa petite famille le contemple avec confiance. Quelques semaines de convalescence lui ont permis de recouvrer la pleine forme de ses capacités physiques et mentales, sans compter que la belle nature le rajeunit.

Devant eux surgit l'objet de leur randonnée, dans la clairière, leurs yeux inquisiteurs découvrent les bâtiments modestes d'une petite ferme. La maison, à demi cachée derrière une dizaine de pommiers, semble les inviter.

Les occupants de la voiture sautent à terre avec l'intrépidité des explorateurs, encouragés par le soleil automnal de 1909. Ils viennent visiter les lieux. Les petites courent vers les pommiers, Marie-Blanche découvre une petite pomme l'air enchanté. Délia n'en a pas, elle pleurniche. André se dirige vers les arbres pour atteindre une autre pomme.

— Tiens, ne pleure plus. Il ne peut supporter les pleurs d'un enfant.

Il sort une clef de sa poche, la porte résiste, elle semble refuser ces intrus. Un grand coup d'épaule a raison de l'obstacle et voilà !

Léona ne parle pas, elle s'avance lentement, le cœur un peu serré et l'échine tendue. D'un regard circulaire, elle évalue le logis. Trois pièces divisent le rez-de-chaussée. Un vieux divan écrasé dans un coin leur souhaite la bienvenue et, pour marquer la chambre à coucher, un vieux matelas gît sur le plancher nu. La cuisine, éclairée par deux fenêtres, occupe la majeure partie de l'espace, au fond un seau est déposé près d'un évier noir. Les installations y sont plutôt rudimentaires. « J'ai connu mieux », songe Léona.

— Je vais poser une pompe, pour que tu aies de l'eau dans la maison, dit André devant son air consterné.

Pendant qu'André se rend à la grange, Léona continue son investigation. Le bout de la cuisine recèle l'escalier de la cave au-dessus duquel se trouve un autre escalier conduisant à l'étage. À côté, une petite pièce, bien aménagée de nombreuses tablettes, laisse croire qu'il s'agit d'une dépense. Elle s'enhardit à gravir l'escalier, où elle découvre trois chambres.

Les deux petites la suivent pas à pas.

— Maman, est-ce qu'on va rester ici ? C'est pas beau ! Déclare Marie-Blanche en faisant la moue.

— Nous allons arranger les choses, tu verras quand il y aura des meubles et des rideaux aux fenêtres ce sera différent.

— Le contrat parle de grange, ç'a plutôt l'air d'une petite étable, il faudra construire, déclare André en entrant d'un air ambitieux. Les bâtiments ne sont pas vieux, une dizaine d'années, mais ils n'ont jamais connu la couleur de la peinture. J'ai vu que les légumes sont encore dans le jardin, ces gens-là sont partis pressés.

Enfin, ils sont là, debout tous ensemble sur le talus, jetant un dernier regard.

— C'est passablement loin de Coaticook, une dizaine de milles, dit André, quand même, ça me paraît intéressant. Je n'ai qu'à accepter l'offre de mon frère, le docteur, il déposera les trois cents dollars chez le notaire de Coaticook. Je n'aurai qu'à signer le contrat, et nous serons chez nous. Qu'en penses-tu, ma femme ?

— Nous serons chez nous, tu as raison.

Ils reviennent chez Noël où ils se sont réfugiés depuis la descente du train. Ils partagent la maison paternelle avec les garçons.

— Restez encore un peu, dit Noël, Ernest et moi sommes heureux d'avoir une femme dans la maison.

Quelques jours ont passé, la transaction est complétée, il fait beau, rien ne peut les retenir. Le départ s'organise, un voisin vient prêter main-forte. La longue voiture à quatre roues et deux chevaux est prête avec le ménage. Blanche et son oncle Ernest ainsi qu'un voisin serviable, il s'appelle Thomas Shurtleff, s'installent à travers les meubles. Léona dépose un grand chaudron près du siège contenant la nourriture qu'elle a prévue pour la journée et elle prend Délia sur ses genoux. Ils partent le cœur léger. André prend les guides pour conduire l'équipage vers cette nouvelle destinée, vers Perryboro.

Cette fois, ils s'installent à titre de propriétaires, ils sont chez eux, ça se voit dans leur regard. Les enfants tapent des mains en voyant entrer leurs lits.

Le lendemain, André récupère le cheval et les trois vaches qui ont passé les derniers mois chez le voisin.

— Il n'y a rien à payer, Anatole m'a donné un cochon avant de partir. Je vous donnerai un jambon aux Fêtes. J'ai aussi des jeunes chiens, si vous en voulez un, ma chienne a eu une deuxième portée.

Léona installe le chiot dans la dépense sur un vieux sac à grain. Durant la nuit, il pleure, il demande sa mère. Léona entend un bruissement dans l'escalier, elle se lève et trouve Blanche avec le petit chien dans ses bras, elle le berce doucement.

— Tu ne peux pas rester ici toute la nuit. Remets-le sur le sac, il va se rendormir et avec le temps il va s'habituer et oublier sa mère et il ne pleurera plus. Demain tu pourras le prendre, remonte te coucher.

André tient parole, il arrive de la ville avec une pompe à eau. Le pic en mains, il s'acharne à creuser un canal à partir de la source. Il travaille sans relâche pendant deux jours, jusqu'à la brunante, un travail de forçat, il casse les pierres avec une masse. Quand enfin il installe un tuyau, il explique aux petites qui le regardent depuis le matin :

— Il faut creuser assez profond pour que le tuyau ne gèle pas durant l'hiver. L'hiver, la terre ne gèle pas profondément.

Bientôt, il s'affaire dans la cuisine, consolide la pompe près du petit évier en fer-blanc. Avec un sourire triomphant, il va chercher un seau d'eau.

— Léona, actionne le manche de la pompe pendant que j'y verse l'eau pour l'amorcer.

La pompe gargouille, mais l'eau ne vient pas. Elle continue à pomper avec espoir. Soudain, elle sent une certaine résistance, la pompe semble prendre vie :

— Ça coule ! s'écrie-t-elle.

Elle regarde André, les larmes aux yeux. Il se laisse tomber sur une chaise. Il est épuisé, le moignon de sa jambe lui fait mal :

— Tu peux prendre de l'eau tant que tu veux, dit-il.

La besogne les tient occupés. Il faut profiter des beaux jours pour récupérer les légumes du jardin, laissés par les précédents propriétaires. André arrache les patates tandis que Léona et les petites les ramassent.

— Nous aurons une provision pour l'hiver. Nous arracherons les carottes et les oignons demain.

— Nous allons ralentir, dit Léona le lendemain matin en se tenant le dos et en voyant André qui a peine à marcher, nous ne sommes pas habitués à ce travail.

— Mais le temps fraîchit, je crains le gel, il faut se presser, les oignons vont geler, je vais les rentrer cet après-midi.

Toutefois, ses forces réduites ne lui permettent pas d'organiser la ferme aussi vite qu'il voudrait. Les bâtiments sont délabrés, les carreaux sont à remplacer, surtout à la petite étable, qu'il juge bien désuète. De son côté, Léona s'harmonise avec sa maison de deux étages. Un nouveau linoléum rafraîchit la cuisine. Elle encourage son mari.

— Sais-tu, je trouve qu'on est bien ici.

Un dimanche, elle laisse la garde des enfants à André et part pour aller à la messe à Saint-Herménégilde, à trois milles. La grand-messe dominicale, à dix heures, ramène au curé presque toutes ses ouailles. Il y prononce un long sermon et donne maintes recommandations et nouvelles. De leur côté, les paroissiens échangent leurs opinions sur le perron de l'église pendant que les « créatures » se font mille confidences.

Quand elle revient, il est presque treize heures.

— J'ai rencontré notre voisine, madame Dupont, avec ses enfants. Je l'ai invitée à venir faire un tour, elle a accepté.

Pendant son absence son mari a fait le dîner, les enfants ont mangé, elle mange à son tour et trouve la vie belle.

La neige apparaît dès le mois d'octobre, les premières morsures du froid font réfléchir André. La bécosse, une petite cabane de bois, est installée à quelques pieds en arrière de la maison.

— Je vais installer ça dans la *shed*, ce sera plus confortable pour l'hiver.

Il coupe le mur extérieur au fond du hangar et installe la « villa des rêveries » à l'intérieur. Elle est facile d'accès, la porte du hangar ouvre au fond de la cuisine.

— Nous n'aurons plus à sortir, surtout toi cet hiver, dit André en regardant sa femme avec affection.

Petit à petit, la froidure établit ses lois. Une routine s'installe, la vie hivernale se joue entre l'étable et la maison. De jour en jour le lait est accumulé dans un séparateur: un appareil cylindrique en fer-blanc muni d'un robinet à la base, au-dessus duquel une petite fenêtre permet de voir le lait s'écouler. En se reposant dans le récipient, le lait se sépare, laissant flotter la crème. Quand le lait s'écoule par le robinet, la petite fenêtre permet de voir à quel niveau se trouve la crème que l'on récupère pour la porter à la beurrerie à Coaticook une fois par semaine.

Les Fêtes passent et l'hiver 1910 bat son plein. La famille lutte pour garder sa chaleur. Le mois de janvier semble interminable. Certains jours le vent hurle et la poudrerie se colle à cette demeure frileuse, exposée aux quatre vents. Le peu de bois de chauffage qu'ils ont trouvé dans la remise diminue à vue d'œil. Les sous-vêtements longs et les bas de laine suffisent à peine, les petits nez coulent. André prend une décision.

— Je vais acheter une petite fournaise à charbon. À la ferronnerie, je vais faire marquer et à chaque semaine j'irai donner un petit montant.

Le charbon, André connaît ça. Le soir, il fait un feu qui dure toute la nuit. La chaleur monte à l'étage où dorment les enfants et le matin la maison conserve encore un brin de chaleur.

Avec le mois de février, André ne trait plus qu'une vache, il laisse les deux autres se reposer, elles sont en gestation pour le printemps. Le lait de la troisième sert à la consommation de la famille.

Léona a découvert une petite baratte dans le hangar, elle accumule un peu de crème et décide de faire du beurre.

Marie-Blanche tourne la manivelle de la baratte et bientôt elle s'émerveille de trouver du beurre. Toute sa vie, elle se souviendra de ce petit événement.

Le mois de mai arrive enfin et marque une sorte de délivrance. Les enfants jouent dehors. Un matin ensoleillé, Blanche entre, transfigurée.

— Maman ! c'est beau, j'ai vu un tapis de fleurs jaunes près des pommiers, ça brille partout, c'est beau, c'est beau ! Venez voir maman.

Amoureuse de la nature, la petite semble en extase. Elle tire sa mère par la main. Léona découvre le tableau, les pissenlits piquent abondamment de clous lumineux un coin du terrain et s'éparpillent dans les prairies environnantes. Ces petites fleurs, parsemées un peu partout, éclairent le Rang 10 de Perryboro et ses maisons égrainées ici et là.

— Tu as raison, dit-elle, c'est bien beau. Les fleurs jaunes, ce sont des pissenlits. Entends-tu chanter les oiseaux ? Regarde au loin, tu vois briller quelque chose ? C'est le clocher de l'église du village.

Bientôt, le jardin attend les semences. Le soir, les jeunes cultivateurs, assis l'un près de l'autre, établissent ensemble l'ordre de l'ensemencement du potager. Depuis longtemps, ils n'ont pas connu cette complicité amoureuse. André regarde sa femme avec ardeur, elle est enceinte.

L'été est particulièrement beau. La petite ferme sur les coteaux semble prometteuse. Une terre arable, presque vierge, permet de croire à un rendement substantiel. Le jardin est divisé en deux parties, la plus grande pour les patates, les carottes et les navets. L'autre carré est réservé à Léona pour les tomates, les oignons, les radis et les concombres, qu'il faut semer à la fête de saint Antoine, le 13 juin.

André se sent revivre. Il arpente son domaine en clopinant, sa fille aînée à ses côtés. Il lui inculque les secrets de la nature. Elle travaille avec lui. Elle fait boire le petit veau. Un jour, tous les deux, ils montent à cheval pour aller explorer la forêt, il lui explique l'essence des arbres.

— Vois-tu ces trois gros arbres ? Ce sont des chênes, regarde comme la feuille est grande et délicate. Le chêne donne des glands, ce sont des noix.

Plus loin, ils découvrent un noyer :

— Comme il est grand, dit Blanche.

— Oui, c'est un arbre puissant, lui aussi donne des noix, on appelle ça des noix longues. Ta mère connaît bien ça, il y a aussi un grand noyer chez ton grand-père. Tes oncles ramassent de pleins grands sacs de noix l'automne et ils les étendent à terre au grenier de la maison pour les faire sécher, ça donne une belle provision de noix pour tout l'hiver. Nous aussi nous viendrons en ramasser au début d'octobre prochain. De plus, avec le bois du noyer on fabrique de très beaux meubles.

Avec maintenant cinq vaches, la besogne augmente. André fait l'acquisition d'une centrifugeuse, que l'on continue d'appeler un séparateur. Un appareil muni d'un système de rotation très rapide, apparu vers 1897, que l'on actionne manuellement. La force centrifuge permet de séparer la crème du lait.

Une fois par mois, le dimanche, c'est au tour d'André d'aller à la messe et il amène Blanche. Au retour il faut arrêter le long du chemin pour faire un petit besoin. André s'y prête facilement. Il est patient avec sa fille.

De son côté, Délia voudrait bien sortir comme sa sœur, elle a eu trois ans en janvier. Enfin, un dimanche Léona consent à l'amener à la messe. Elle ne bouge pas durant la cérémonie, comme elle l'a promis, elle semble en contemplation.

En juillet, une vague de chaleur s'installe, bientôt on parle de sécheresse, on soupire après la pluie. Un bon samedi, l'atmosphère devient lourde, le cri-cri des grillons bourdonne à l'unisson. Une chaleur suffocante s'abat sur le coteau. « Ça sent l'orage, se dit Léona. Tant mieux, ça fera du bien. »

Subitement le ciel s'obscurcit, le temps devient gris et bientôt de plus en plus sombre, jusqu'à la noirceur. « Mon doux, songe tout à coup Léona : André, qui est parti à cheval à l'extrémité de sa terre pour inventorier les érables en vue du printemps prochain, il va subir la tempête, il aurait dû revenir tout de suite. »

Les éléments n'attendent pas. Un éclair sillonne le ciel, rapidement l'orage se déchaîne, la pluie tombe en torrents, les éclairs se succèdent sans arrêt et le grondement du tonnerre se répercute dans les collines. Le bruit est terrifiant. Soudain, un coup effroyable frappe, pour un moment la maison semble en feu. Léona est près du poêle, elle fait son ménage du samedi dans sa cuisine et ramasse les miettes de bois, quand tout à coup un grand coup la frappe dans le dos. En se relevant, elle constate qu'il s'agit du cadre de la fenêtre ; du côté du hangar, le plafond est brisé. Blanche, qui était en haut, descend en criant :

— J'ai vu une boule de feu dans la fenêtre.

— Oui, le tonnerre est tombé sur notre maison.

Léona est éberluée, la tête lui tourne, elle regarde autour d'elle :

— J'entends des cris, où est Délia ?

— Elle était partie à la bécosse, répond l'enfant.

Léona s'avance à travers les bouts de planches jusqu'au fond du hangar à moitié détruit. Elle réussit à extirper la petite d'un amas de débris, celle-ci est secouée, mais elle n'a pas de mal. La mère constate qu'elle est tombée sous le plancher de la remise où il existe un vide. Heureusement, il n'y a pas de feu, songe-t-elle. Dehors, la tempête est passée.

Enfin, André est là, les vêtements trempés. Devant le spectacle qui l'accueille, son premier regard va à Léona. Elle est assise dans la berceuse, les deux petites sur elle. Il enlève sa chemise et s'avance, son pied laisse une trace d'eau. Il prend les petites une à une pour les mettre debout et il soulève sa femme.

— Tu n'as pas de mal ?

Elle fait signe que non et éclate en sanglots.

— Va t'étendre un peu et je vais voir ce que je peux faire.

Les petites le regardent avec assurance.

— J'ai vu une grosse boule de feu dans la fenêtre, répète Marie-Blanche.

— Le principal, c'est que vous n'avez pas de mal, répond son père.

Il enlève sa bottine de travail et son pantalon trempé pour endosser la culotte qu'il porte pour faire le train. Après avoir essuyé le plancher, il commence à déblayer.

— J'ai faim, dit Blanche.

— Délia aussi, exprime en écho une petite voix.

Il calme les enfants en leur donnant une tartine de beurre. Il regarde le poêle, le tuyau est arraché. Lui aussi a faim, il va chercher le rôti de porc frais dans la cave et invite Léona à venir prendre une bouchée.

Il réinstalle le tuyau du poêle et constate que c'est surtout le hangar et la toiture de ce côté qui sont endommagés. Il découvre que la foudre a percé un trou de haut en bas de la maison et que la tête des clous dans les murs est noircie. Cette inspection le bouleverse, il constate que c'est un dur coup. Bien que très pieux, il interroge le Seigneur: pourquoi ce malheur s'ajoute-t-il à sa détresse?

La nouvelle se répand dans le rang, les voisins viennent aider et les murs et le hangar reprennent forme. André en profite pour mettre une touche de son cru.

Un beau matin, ce sont les Comtois, Trefflé et Marie-Rose, qui viennent les surprendre. Ils ont eu vent de l'événement. Marie-Rose vient s'enquérir de l'état de sa sœur. Elle apporte des provisions, des pommes, une volaille, des légumes et un pain de sucre. Elle n'a pas oublié des mitaines pour les filles et des tricots pour le futur bébé, qui sera un garçon, espère-t-on sans le dire.

La semaine suivante, de nouveau, André a recours à un voisin pour exécuter un carré de labours et André conduit le cheval par la bride. Il y a beaucoup de cailloux dans le champ et parfois la charrue butte sur une pierre qu'il faut sortir avec un pic. C'est un travail ardu et, encore une fois, la sinuosité du terrain provoque une blessure à son moignon. Avec un peu d'amertume les jours suivants, il se déplace avec ses béquilles.

Une première neige vient les surprendre très tôt. André pose les contre-fenêtres et s'organise pour enchausser la maison, mieux que l'hiver précédent, songe-t-il. Travail qui consiste à entourer la fondation de la maison de terre pour l'isoler contre le froid.

Il attelle le cheval sur la petite charrette, sorte de tombereau à deux roues pour transporter la terre. Il peine pendant deux jours; à certains endroits, la planche qui retient la terre est encore là, mais il faut la relever et ailleurs en trouver une nouvelle. La tâche demande plusieurs voyages de terre. La dernière journée, au moment où il achève le remblai, le cheval avance au lieu de rester immobile et déséquilibre André. Ce dernier crie, il se fâche et passe sa colère sur le dos du cheval. En le tenant par la bride il frappe l'animal sur le dos avec sa pelle. Les enfants courent dans la maison.

L'automne tire à sa fin et Léona arrive au terme de sa grossesse. Sans surprise, avec l'aide d'une sage-femme, elle donne naissance à son quatrième enfant, c'est une fille. C'est le mercredi 30 novembre 1910. Un gros bébé plein de vie. Dès le lendemain, on la porte à Saint-Herménégilde-de-Barford pour le baptême. L'honneur revient aux grands-parents, Louis Comtois et Rose-Anna Mercure. L'enfant se nomme Marie-Rose, Marguerite.

Le curé étant absent, c'est le vicaire qui procède à la cérémonie. À l'issue du baptême, il déclare que le registre est dans le coffre-fort et que seul le curé en connaît la combinaison.

— Vous ne pourrez pas signer dans le registre, ajoute-t-il.

Plus tard, quand Marguerite obtient son extrait de baptême, elle y trouve, à son grand scandale, « le père et le parrain n'ont pu signer... »

Chose étrange, ce bébé porte une marque profonde au dos, vis-à-vis du coccyx, une sorte de kyste. La famille en discute et fait un rapprochement entre le coup de tonnerre et le cadre de la fenêtre que Léona a reçu dans le dos. On s'inquiète des possibilités que cette petite anomalie ne se développe, ce qui ne se produira jamais.

Léona n'a pas d'aide, elle comptait sur Marie-Rose, mais celle-ci est retenue à la maison par sa besogne.

— Ne t'inquiète pas, ma femme. Les travaux extérieurs de la ferme sont finis et je peux t'aider.

André assume, avec fierté, la responsabilité de relever sa femme, comme on dit. Comme le veut la coutume, celle-ci demeure au lit une dizaine de jours.

Au bout de quelques jours, une grande surprise se produit. Ce sont grand-père Louis et mémère Rose-Anna qui arrivent. Cette dernière s'installera pour seconder sa fille. Les petites filles sont aux oiseaux, elles aiment bien cette grand-mère corpulente et chaleureuse. Marie-Blanche raconte plus tard que le soir elle se couche au pied du grand lit, où les enfants dorment, pour leur réchauffer les pieds.

La saison froide se prête au voisinage et André en profite pour faire plus ample connaissance. Il trouve des raisons pour se faire connaître et en même temps se tenir au courant du va-et-vient.

Un jour, il apprend que la dame qui hébergeait la maîtresse d'école en pension vient de tomber malade.

En arrivant chez lui, après avoir mis sa femme au fait, il déclare à Léona :

— Qu'est-ce que tu penserais de prendre la maîtresse en pension ? L'école est tout près.

Léona n'hésite pas, avec les trois chambres en haut la chose est facile et quelques sous de plus dans le budget familial seront les bienvenus.

Mademoiselle Lachambre, la maîtresse d'école, apporte une belle diversion dans la routine. Elle joue de l'accordéon et le soir elle prête beaucoup d'attention à Blanche. Elle écrit le nom de son élève sur son cahier de chansons en écriture gothique, ce qui impressionne beaucoup l'enfant.

À l'occasion du jour de l'An 1911, ils sont attendus chez grand-père Comtois. Ils arrivent la veille et ils s'extirpent de toutes les couvertures, le cœur rempli de joie.

Les embrassades sont chaleureuses et la conversation animée. Le bébé fait l'objet de l'admiration de tous et les filles sont heureuses quand arrive leur tour. Elles ont grandi, elles sont intimidées par l'animation de toutes ces grandes personnes. Mémère Rose-Anna brise la glace : elle prend les fillettes par la main et les amène à la cuisine où elle leur donne de grandes galettes à la mélasse.

Léona a préparé des surprises pour tout son monde. Elle a magasiné à Coaticook et exercé ses talents : une pipe pour son père, un tablier festonné pour sa mère, une écharpe en laine blanche crochetée pour Marie-Rose, elle a même tricoté des bas pour Trefflé et elle offre un crayon à mine renouvelable à son plus jeune frère Gilles.

André questionne Gilles au sujet du Séminaire de Sherbrooke, où il est pensionnaire depuis le mois de septembre, puisqu'il veut devenir prêtre. Aux questions, il répond surtout par des signes de tête.

Le Jour de l'An, la bénédiction paternelle a lieu au salon qui, le plancher couvert de nattes et de tapis crochetés, sous les nombreuses berceuses, tient lieu de sanctuaire. C'est le moment de la distribution des étrennes. Des poupées, des robes, des petits berceaux de poupées avec de minuscules couvertures.

Chez les paysans, la coutume veut qu'on se donne la main le jour de l'An pour se la souhaiter bonne et heureuse. Grand-papa Louis fait une tournée avec son gendre. De maison en maison, il faut saluer d'un « p'tit coup » et Louis ne refuse rien. De son côté, André, qui n'aime pas l'alcool, s'amuse de la situation. Si bien qu'au retour, il prend les guides : le « grand Louis », il avait six pieds, est complètement gris.

La jeune mère de famille, elle a 28 ans, retrouve l'ambiance de sa jeunesse, elle se sent bien, elle semble rajeunie. La maison est grande, la nourriture abondante et elle chante en allaitant son bébé, pendant que Marie-Rose gâte les petites.

Le lendemain, la maison semble vide. Il y a longtemps que les filles de la maison sont parties. Florianne est mariée et demeure à Montréal ainsi que ses quatre sœurs qui ont embrassé la vie religieuse chez les sœurs des Saints-Noms de Jésus et de Marie, à Outremont. Trefflé est sorti pour conduire Gilles à la gare.

— Léona, tu devrais rester jusqu'aux Rois, lui dit Marie-Rose.

— Si tu veux rester, je reviendrai te chercher, lui offre son mari. Il faut que je retourne, je ne peux pas laisser la besogne au voisin plus longtemps et il faut chauffer la maison.

Mais Trefflé, de retour, affirme :

— Mais non, je suis capable d'aller la conduire.

— Moi aussi j'irai, ajoute Marie-Rose.

André part, il y a plus de dix milles pour Perryboro. Il est heureux de donner ce bonheur à sa femme, mais il a le cœur serré.

Le 6 janvier au matin, c'est la fête des Rois, Délia a eu quatre ans la veille, André attend sa famille. Il chauffe la maison avec ardeur, il a hâte de les revoir. La journée se passe sans nouvelles d'elles. Dans son anxiété, il n'avait pas remarqué le mauvais temps. Ce n'est que le surlendemain, à la faveur d'un soleil radieux, qu'il voit apparaître la carriole.

Au cours de l'hiver, toute la maisonnée besogne. André a la tête pleine de projets, on est heureux. Le menu est plutôt sobre, mais il y a le bon sucre d'érable de grand-père Comtois.

Le samedi, André va porter la crème à la beurrerie et il rapporte les articles d'épicerie inscrits sur la liste que la maîtresse de maison lui a confiée, sans en omettre aucun.

Au début de l'année, il n'a pas manqué de rapporter l'*Almanach du Peuple*, qu'il consulte presque tous les soirs. En feuilletant la brochure, il découvre une annonce de jambes artificielles d'une compagnie américaine. Ça le fait rêver, mais le prix est exorbitant : cent dollars. Tous les jours il pense à cette réclame.

Une autre résolution habite le jeune cultivateur, il maintient son idée de construire une grange. Tout l'hiver il fait des plans et calcule les matériaux qu'il lui faudra. À la fin de l'hiver, il coupe de la glace sur la rivière et la conserve dans une sorte de cache avec du bran de scie. Son but, une fois les beaux jours revenus, est de faire un « bis », une corvée avec ses voisins, pour monter la charpente de la grange. À ce moment, il fera provision de porc frais au prix du gros et le conservera dans la glace jusqu'au moment de l'utiliser et ainsi nourrira-t-il son monde.

Au jour venu les voisins s'amènent. « Lever une grange », ils s'y connaissent. La fondation est déjà prête. Chacun apporte ses outils, s'affaire et prend son poste auprès d'un colombage qu'il réunit au chevron. Puis à la fin du jour, au signal, l'ensemble se lève et la charpente apparaît.

*
* *

Les beaux jours font éclater les bourgeons et la vitalité de la nature. Le jardin est grand et chaque jour voit apparaître de nouvelles pousses. Toute la famille y a mis la main, même Mlle Lachambre. Une ombre au tableau : la jambe d'André le fait souffrir, elle est souvent blessée.

— Sais-tu Léona, si j'avais un petit garçon pour m'aider, il me semble que ça me sauverait des pas... Je vais faire des démarches.

— C'est une bonne idée, je crois, lui répond sa femme.

À sa visite suivante à Coaticook, il se rend à l'orphelinat et on accepte sa demande. La religieuse lui dit :

— La semaine prochaine vous pourrez venir le chercher. C'est un enfant qui arrive à douze ans, mais il est robuste. Il devra aller à l'école pour finir son année.

Une ferme abandonnée au bout du village donne une autre idée à André. Il achète une quinzaine de moutons, toujours en vue d'un revenu supplémentaire. Il y place les bêtes. L'endroit est verdoyant, près de la montagne. On ne lui connaissait pas de propriétaire. Il n'y a pas de maison, mais une petite grange où les moutons pourront se réfugier.

Le mois de juin voit revenir à Coaticook les parents d'André et sa sœur Laura, qui sont de retour de leur hivernage à Montréal. Tôt un dimanche matin, toute la famille part pour aller dîner chez eux. André a une idée derrière la tête... On échange les nouvelles de la saison, bientôt, timidement, André dirige la conversation vers l'annonce de jambes artificielles. Il parle de ses difficultés à travailler comme fermier et homme à tout faire. Elphège, sa mère, comprend...

— Je vais te prêter la somme nécessaire.

Dès son retour à la maison, il sort l'*Almanach*, il cherche la publicité, il ne la trouve pas, ses doigts sont gourds, il s'énerve, peut-être a-t-il mal vu.

— Ah ! la voilà, soupire-t-il. Léona, tu vas écrire dès ce soir.

Au cours de l'été, André veut s'amuser un peu. Il organise une équipe de base-ball avec ses voisins pour meubler les dimanches après-midi. Comme il ne peut pas courir, il est le receveur. Il se fabrique un masque en broche à foin pour la circonstance. Toute la population est au rendez-vous pour la joute, c'est un événement.

Ce jeune fermier, il aura bientôt 28 ans, développe dans cette petite communauté, au cours des années, un sens social remarquable, une source de récréation, il fourmille d'idées. Blanche, qui arrive à six ans à ce moment, racontera plus tard que son père organisait des parties de cartes le dimanche soir durant l'hiver. Il achetait des prix pour les gagnants et il chargeait 10 ¢ par personne. Longtemps, après des années, traîne encore dans le haut de l'armoire un « pot à barbe » en porcelaine fleurie, un prix qui était resté de la dernière partie de cartes.

C'était aussi un innovateur dans l'entourage : premier chauffage central à air chaud, première chargeuse à foin en *ondins*. Son coffre à outils est bien garni, il donne libre cours à son imagination. Il crée un feu de forge pour ferrer les chevaux.

L'été, il organise des courses de chevaux avec ses amis, des chevauchées qui faisaient trembler les femmes. Ils allaient même jusqu'à changer de cheval en pleine course.

Il manque rarement de jaser avec le postillon. Un jour, ce dernier lui dit que le gouvernement veut ouvrir un bureau de poste à Perryboro, dont la population a passablement augmenté. Cette déclaration ne tombe pas dans l'oreille d'un sourd. André, qui est toujours à l'affût de la nouveauté, est à Coaticook le lendemain pour soumettre sa candidature. Il a une bonne instruction, une huitième année, le maximum au collège des Frères à Coaticook, et il est bilingue, ce qui a toujours son importance, surtout au niveau du gouvernement d'Ottawa.

Entre-temps arrive la réponse de la compagnie Ericcson, aux États-Unis, concernant les jambes artificielles ainsi qu'un long questionnaire en anglais sur les mensurations d'André, son poids, sa taille, son âge, la date de l'accident. L'envoi comprend une boîte avec les instructions pour préparer un moule en plâtre de son moignon jusqu'en haut du genou. L'émotion est grande quand ils emballent le colis avec un mandat poste. Ils scellent le paquet, pleins d'espoir.

Il faut que ça marche à sa guise autour de lui. Depuis que la nouvelle grange est montée, il trait dix vaches soir et matin et le jeune orphelin l'assiste. Un jour que l'enfant a fait une gaucherie, il lève la main pour le frapper. Le garçonnet esquive le coup et court vers la maison. Il a peur, il a vu cet homme frapper le cheval. En entrant, il court à sa chambre à l'étage. Après quelques minutes André entre à son tour, un bâton à la main. Léona comprend ce qui se passe. Elle affronte son mari. Elle n'a pas peur, elle connaît ses colères, mais il ne l'a jamais touchée.

— Tu n'as pas le droit de frapper cet enfant.

Son mari hésite, il la toise du regard, sans dire un mot, et il repart vers la grange. Le lendemain matin il a des remords, il dit au garçonnet :

— Si tu veux, samedi, tu viendras au village avec moi.

Malheureusement, la besogne accrue affecte sa jambe, certains jours il doit se restreindre de marcher, son moral est au plus bas, il est anxieux de recevoir une réponse des États-Unis.

Un jour, la poste apporte une boîte des États-Unis. André regarde le colis :

— L'envoi est trop petit pour contenir une jambe!

Ce sont des instructions bien précises pour un nouveau moule en plâtre, le précédent était cassé à son arrivée. André blâme les préposés de la poste:

— Ces gens n'ont pas d'honneur, ils ne respectent rien.

La cérémonie recommence, mais cette fois de nombreuses étiquettes FRAGILE, GLASS, couvrent l'envoi.

Près de deux mois plus tard, arrive un avis à l'effet qu'un colis lui est adressé à la station du Grand Tronc à Coaticook. André récupère une grosse boîte en carton. En arrivant, il s'empresse d'en découvrir le contenu, qu'il extirpe presque religieusement:

— C'est bien ça, c'est ma jambe! s'exclame-t-il.

Toute la maisonnée constate, l'air ébahi.

— Regarde les articulations pour le genou et le pied, dit-il.

Il y a encore des instructions, une large courroie passe sur l'épaule en bandoulière, pour retenir la jambe.

— Il faut que je me déshabille pour mettre ça.

Il passe dans sa chambre. Il a trouvé, dans la boîte, un bas sans talon en fine laine blanche, qu'il enfile sur son moignon et qu'il place dans le fourreau de cuir lacé qui l'enveloppe jusqu'à la cuisse.

Les enfants blotties sur elle, Léona attend, le cœur palpitant, étouffée par l'anxiété. Bientôt, André paraît dans la porte de la chambre sur deux jambes. Il s'appuie sur sa béquille en se regardant. Il a les larmes aux yeux, il a de nouveau deux jambes. Il passe un pantalon:

— Veux-tu me donner mes bottines neuves, les deux sont dans la boîte.

Il endosse des chaussettes et les bottines. À la hauteur de la chaussette, la jambe artificielle est finie en un matériau de couleur chair, créant un effet naturel. Plus tard, il mystifiera les enfants en traversant la jambe de ses doigts, où se trouvent deux ouvertures. Il s'habille.

— Maintenant, je marcherai sur deux jambes, dit-il pour bien se convaincre.

Bientôt, il montre sa prothèse à ses voisins, ses amis. Le pied est mobile, il y a un talon articulé qui permet un mouvement de marche. À la hauteur du mollet, une ouverture dans la jambe laisse voir une tige de métal fixée au talon par un gros élastique, qui permet au mouvement du pied de jouer. Deux autres tiges de métal, de chaque côté de la jambe, retiennent le pied au fourreau. Ces tiges sont mobiles pour permettre le mouvement du genou.

— Dimanche prochain, nous irons chez mon père.

Un mois plus tard, une grosse enveloppe jaune lui apporte un long questionnaire et un lot de règlements à suivre comme maître de poste. Il est accepté. Le futur maître de poste achète un énorme pupitre et l'ouverture officielle s'effectue en février 1912.

Mais André réalise bientôt qu'il est débordé par la besogne. Tout l'hiver il se lève plus tôt pour faire la routine à l'étable pour se réserver des heures au bureau de poste et le soir, il allonge sa journée.

— Je vais demander à mon frère, Ernest, de venir m'aider au printemps.

Dès le mois de mars, Ernest est sur les lieux et la besogne s'exécute rondement. André passe des heures à manipuler le courrier et à discuter avec les villageois. Il est heureux de la situation, mais malgré les heures qu'il passe assis, l'état de sa jambe n'est guère mieux, il endure une plaie, qui ne veut pas guérir malgré tous les soins qu'il lui accorde.

Avec Ernest, il peut se dispenser du jeune garçon. Il faut lui trouver une place, il en parle à Coaticook. Finalement, le propriétaire de la ferronnerie décide de l'adopter.

— Nous n'avons pas d'enfant ma femme et moi et nous serons heureux de le garder.

Un jour, *Le Messager*, le bulletin mensuel, annonce un pèlerinage à Sainte-Anne-de-Beaupré, à l'occasion de la fête de sainte Anne, le 26 juillet. Dans la famille d'André on a toujours pratiqué une grande dévotion à sainte Anne, la patronne du Canada. Il cherche un moyen de soulager la douleur de son infirmité. Il décide donc de partir vers la basilique à Sainte-Anne-de-Beaupré.

— Je vais emmener les petites.

Cette déclaration soulève les cris des fillettes. La préparation du voyage frise le conte de fée. Les filles ont cinq ans et sept ans. Léona leur raconte la vie de sainte Anne et leur explique combien de nombreux miracles se produisent par son intercession.

— Sainte Anne était la mère de Marie, la Sainte Vierge, la mère de Jésus. C'était la grand-mère de Jésus, comme mémère Comtois pour vous. C'est sa fête, comme c'était ta fête le 15 juillet, Blanche. Quand quelqu'un a un gros chagrin ou une infirmité, il va la voir pour obtenir une consolation et une guérison. Votre papa a beaucoup de mal à sa jambe et il vous emmène avec lui pour que vous demandiez à sainte Anne de le guérir.

— C'est quoi un miracle? demande Marie-Blanche.

— C'est quand le mal guérit tout d'un coup.

La préparation des vêtements les impressionne davantage: une robe neuve pour Blanche, Délia portera une jolie robe d'organdi que sa mère a sortie, sans dire qu'elle a appartenu à sa sœur. Le matin du départ, André porte son habit de noces. Il sort sa petite valise en peau de vache, qu'il s'était procurée pour ses tournées à bord des trains. Les embrassades sont joyeuses, Léona demeure un moment à les regarder s'éloigner, une main plaquée sur son ventre légèrement arrondi.

C'est un long périple, cinq milles en voiture pour Coaticook, ensuite en train jusqu'à Lévis, puis en traversier vers Québec et de nouveau en train vers Sainte-Anne-de-Beaupré. À leur arrivée, ils logent à l'auberge du centre de pèlerinages. Le 26 au matin le trio entre à la basilique plein d'espérance. André demande à Blanche de solliciter sa guérison auprès de la Mère de Jésus.

À la sortie de la cérémonie, Délia déclare:

— Votre zambe est guérie.

André sourit.

— Non, il faut attendre que la plaie se referme.

À son retour, la plaie commence à se refermer, puis se cicatrise complètement. Pour la première fois depuis son accident, près de quatre longues années, il peut marcher sans douleur. Il montre le moignon de son genou à ses filles avec solennité.

Au printemps, avec l'aide d'Ernest, il a semé un carré d'avoine, qui commence à jaunir au soleil. Il fait très beau, même que ça frise la sécheresse. Un après-midi de la fin du mois d'août, les enfants entrent à la maison en disant qu'il y a un gros nuage noir dans le ciel. Léona sort:

— Mon Dieu! Les sauterelles!

Le nuage s'abat sur le beau carré jaune. André court vers cette toison d'or, il arrache de l'herbe séchée:

— Arrachez de l'herbe, les enfants, il faut faire un gros tas pour faire un feu.

Léona arrive avec des allumettes, suivie d'Ernest.

— Blanche ! va chercher du papier !

Elle prend son cahier dans son sac d'école. En voyant ça, André hésite, mais il ne peut attendre.

— Je t'en achèterai un autre, dit-il.

Bientôt, le vent s'y prêtant, la fumée envahit le champ. Les sauterelles sont parties, mais il ne reste presque plus rien du bon grain. La récolte sera mince.

Depuis le mois de septembre une nouvelle maîtresse d'école est arrivée, bien gentille, une petite brunette, c'est Bernadette Boulanger. Une atmosphère d'éducation continue de prévaloir dans la maison. André veut enseigner l'anglais à ses enfants et exige que les petites parlent dans cette langue durant les repas.

— Du *milk*, s'il vous plaît.

— Pas s'il vous plaît, c'est : *please.*

De temps en temps, plutôt le dimanche, André va avec les filles vérifier l'état de ses moutons. Ces promenades sont toujours une sorte de leçon d'herborisation. Un matin d'octobre, André déclare à Léona :

— Les moutons sont bien beaux, je veux les ramener dans notre étable pour l'hiver. Et en regardant les filles, il ajoute : nous allons faire courir les moutons jusqu'ici, pour ça, vous allez vous placer dans l'entrée des autres fermes pour les empêcher d'y entrer. Toi, Léona, tu les arrêteras pour les faire entrer dans notre cour.

Le succès couronne l'expédition. Longtemps Blanche se souviendra de cette manifestation d'efficacité.

Aux fêtes, Léona se rend compte que son beau-frère Ernest est plein d'attentions pour la maîtresse d'école. En bonne chrétienne, Léona ne peut permettre aux amoureux d'occuper l'étage pour la nuit.

Elle annonce que Mlle Boulanger doit aller demeurer dans une autre pension. Ernest prend cette décision comme une offense à son honnêteté. Il en est offusqué :

— Bernadette peut rester ici, dit le jeune homme. L'hiver tu as moins de travail, André, moi je vais partir et aller travailler à Coaticook. J'aurai un salaire, il faut que je pense à mon avenir.

Quelques minutes plus tard, il glisse à l'oreille de sa belle :

— Je reviendrai.

La demoiselle est aussi frustrée que son amoureux et elle part demeurer un peu plus loin. Plus tard, Ernest épousera sa dulcinée.

*
* *

Un grand événement se produit à la fin de janvier 1913; le mardi 21, Léona donne naissance à un garçon. Le bébé est délicat, il n'a pas la carrure de son père, mais il incarne plutôt la stature des Comtois. Qu'importe, pense le papa, qui voit enfin la naissance d'un fils et qui se sent comblé.

Léona fait remarquer que c'est le jour de son anniversaire:

— C'est aussi ma fête, c'est tout un cadeau, j'ai 32 ans aujourd'hui.

André embrasse sa femme. Dans l'émotion du moment, il avait oublié.

Le lendemain la tempête fait rage, un vent violent souffle la neige en rafales, on ne voit ni ciel ni terre.

— On ne peut pas faire baptiser aujourd'hui, comme c'est la coutume, dit André, on va attendre à dimanche. Mon frère Joseph et sa femme Hectorine accepteront sûrement d'être de cérémonie. Le postillon vient demain, je vais lui donner un mot pour eux.

Le dimanche suivant André est en liesse, il fait baptiser son fils aujourd'hui. Il se lève tôt et prépare des pommes de terre, du navet, des carottes et un morceau de viande, qu'il a rapporté du village samedi pour le repas au retour de l'église. Blanche veut venir, on craint qu'elle ne prenne froid, elle insiste et s'habille seule. Son père ne peut refuser. Devant le chagrin de Délia, qui ne peut venir, André réussit à la convaincre que sa maman a besoin d'elle.

La future belle-sœur, qui a quelque peu adouci son comportement — elle comprend le scrupule de Léona —, accepte d'être porteuse pour la cérémonie. Elle habille le bébé, il vient de téter. Léona a prévu les vêtements, tout est là sur le bureau dans sa chambre.

— Depuis la naissance de Délia, j'ai un petit manteau chaud en sergé de laine matelassé, lui dit la maman.

Le voisin arrive avec sa carriole.

— J'ai des briques chaudes pour les dames, dit-il, ma femme va tenir compagnie à Léona.

Au retour, Hectorine fait rapport.

— Le bébé n'a pas pleuré quand le prêtre lui a mis le sel sur la langue. Ce sera un orateur, ce petit Louis-Joseph-Adrien. Louis et Joseph sont les prénoms de ses deux grands-pères, Adrien est le choix de la marraine.

Les travaux de la ferme deviennent une corvée pour André depuis que son frère est parti, mais il s'y attaque avec courage. Quand vient le temps d'engranger le foin, il décide d'acheter une chargeuse mécanique. Après avoir coupé le foin et l'avoir laissé séché, il le ramasse en *ondins* avec un râteau. Un chariot, tiré par des chevaux, traîne la chargeuse pour recevoir le foin. Il suffit alors de guider les chevaux le long des *ondins*, ce qui est assez facile pour qu'André confie ce travail à sa fille Marie-Blanche.

La question du labour revient à l'ordre du jour. André entreprend cette tâche, mais il a beaucoup de difficulté à garder son équilibre. Il fait une chute. Il décide de demander de l'aide. Il va voir son voisin. Ce dernier accepte, mais il demande à être payé et il ajoute qu'il doit faire les travaux chez lui d'abord. « Je n'ai pas le choix, se dit André, mieux vaut sacrifier quelques dollars pour assurer la récolte de l'an prochain. »

Un dimanche, ils partent pour aller faire un tour chez l'oncle Noël, les soubresauts les secouent, les chemins ne sont pas rabotés. Tout à coup, voilà toute la famille pêle-mêle dans le fossé. André crie au cheval qui s'arrête. Marie-Blanche est la première debout, elle était tombée sur Délia. « C'est la deuxième fois, pense André, que j'envoie ma femme dans le fossé. » Ils choisissent d'en rire, ils n'ont pas de mal.

En examinant la voiture, le cocher constate que la tige qui retenait le timon à l'armon s'est brisée. André explique :

— En descendant la côte la force de la violente vibration a brisé la tige et, en se détachant, le timon a planté dans la terre et provoqué un arrêt brusque. Je vais demander du secours au premier voisin.

Il marche pour remonter la pente, le voisin est loin. Finalement, une voiture arrive, le voisin invite les dames à monter et, avec André, il attache la voiture brisée pour la ramener à la maison. André monte le cheval. Le voyage est à l'eau.

Le lendemain, sa jambe artificielle est brisée : le pied s'en détache. C'est la deuxième fois qu'il la répare. Depuis son arrivée sur cette terre, André a toujours travaillé à augmenter son roulement, mais le départ de son frère Ernest lui a enlevé l'aide dont il a besoin. La sinuosité du terrain contribue à user sa jambe et son moral. Malgré tous ses efforts pour parvenir à gérer l'exploitation de sa ferme, André se demande si vraiment il est capable d'élever une famille dans ces conditions. Il devient songeur.

Un jour, il revient de Coaticook et annonce à Léona qu'il a une nouvelle à lui apprendre.

— J'ai vu quelque chose d'intéressant. Le conseil municipal de Coaticook affiche une demande pour un ingénieur stationnaire pour conduire le rouleau à vapeur pour l'entretien des chemins.

Léona ne répond pas. Elle a trop bien compris. Faudra-t-il encore déménager ? se demande-t-elle.

Il continue sa besogne, mais elle lui pèse de plus en plus. Un matin, sa jambe est délabrée. Il va chez son père pour discuter de la situation. Il revient abattu, son père ne l'encourage pas.

Pour lui, le vent tourne, tout son optimisme le fuit. Les jours lui semblent de plus en plus longs. Un matin le couperet tombe :

— Ma femme, je vais vendre avant l'hiver. Je ne peux pas élever une famille dans les conditions actuelles. J'irai travailler à Coaticook. La semaine prochaine j'irai voir le conseil municipal.

Léona a senti venir le désastre. Elle est prête. Les petites étaient si heureuses ici, se dit-elle néanmoins.

6

La débâcle

En arrivant, Marie-Blanche et Délia courent vers le pont tout près, elles ont hâte de voir la rivière Coaticook, dont leur père leur a parlé. À travers le tablier du pont en bois, elles voient briller l'eau, elles ont l'impression d'être au bord d'un gouffre. Au bout du pont, elles se glissent sur la berge et s'aventurent plus près. Elles s'assoient sur l'herbe pour mieux admirer. Les berges sont escarpées, le cours d'eau est large. Elles frissonnent. L'aînée prend conscience de ses responsabilités :

— Viens-t-en, c'est dangereux.

Elles courent vers leur nouvelle demeure, Marie-Blanche sait que c'est la troisième maison, elle ressent une certaine anxiété avant de reconnaître la petite maison en bois.

— Où étiez-vous passées ? s'enquiert Léona. Voici cinq sous pour une livre de biscuits Village. Rendez-vous à la petite épicerie qu'on voit là-bas. Vous reviendrez pour vous occuper de votre petite sœur et promener Adrien dans le carrosse. Vous pourrez manger un biscuit en attendant qu'on puisse manger. Là, le poêle n'est pas monté et il faut placer les meubles.

Devant la maison, rue Maine, trône une magnifique McLaughlin-Buick. André a échangé sa terre avec un homme de Montréal pour la somme de trois cents dollars et deux voitures, dont la McLaughlin-

Buick. Pour lui, cette automobile vaut plus que toutes les terres du monde. C'est une nouvelle invention, une petite merveille.

Avec orgueil, André dépose les trois cents dollars chez le notaire, pour les rendre à son frère Pierre. Il donne la deuxième voiture à son frère Ernest pour tous les services qu'il lui a rendus.

La transaction a traîné en longueur, lettres à Montréal, pourparlers avec le notaire, le mois d'octobre est commencé au moment où ils s'installent à Coaticook. Léona s'empresse de rencontrer la supérieure du couvent et les deux aînées entrent à l'école. Une dizaine de minutes de marche les séparent du couvent, près de l'église. Les filles sont acceptées en première et deuxième année. Le lundi suivant, André accompagne ses enfants jusqu'à l'école avec fierté.

Le centre de la ville présente une allure proprette, les édifices neufs ont surgi après l'incendie de 1895. Commencé au coin des rues Main et Child, le feu avait détruit une trentaine de maisons et de commerces, dont l'édifice du journal *The Observer*.

De son côté, une fois l'installation complétée, avec ardeur, André poursuit son rêve: il se procure les formulaires d'inscription au service civil dans le but de conduire le rouleau à vapeur pour l'entretien des chemins et il rencontre le maire.

— Je regrette monsieur, pour le moment, le conseil municipal n'a rien pour vous, ça ira au printemps, lui déclare-t-il.

André revient à la maison, la mine un peu basse. Il se met en quête d'un travail pour l'immédiat. Il est prêt à accepter un peu n'importe quoi. Finalement, il obtient du travail à la ferronnerie trois jours par semaine. Il doit encore de l'argent au propriétaire et celui-ci prélèvera un dollar par semaine sur les gages de son employé. André y retrouve le jeune orphelin qui l'avait secondé à la ferme.

Bientôt, on sent les morsures de la saison froide. Il n'y a pas de chauffage central, mais la petite fournaise à charbon et le voyage de bois dans le hangar donnent une certaine sécurité à Léona. De son côté, André s'occupe à remiser sa belle bagnole.

Arrive le mois de décembre, c'est l'hiver. Un matin, Léona déplie la lettre qu'elle vient de recevoir, son visage s'éclaire.

— C'est une lettre de Marie-Rose, une belle surprise! Elle nous invite pour le jour de l'An, dit-elle à ses deux jeunes enfants, qui la regardent de leur grands yeux interrogateurs.

André aux commandes du tracteur à vapeur dans les années vingt

Quand André arrive pour le repas de midi, elle s'empresse de lui annoncer qu'ils passeront le jour de l'An chez ses parents à Moe's River.

— Trefflé viendra nous chercher à la gare.

— Tu n'y penses pas, ma femme, une randonnée d'au moins trois heures ! rétorque son mari.

— Compton est seulement à six milles de Moe's River. Ça me ferait tellement plaisir. Le bébé a presque un an, ça nous ferait du bien, à tout le monde.

— Espérons qu'il fera beau. S'il y a tempête, il faudra annuler, conclut André.

Le 31 décembre, l'excitation commence avec l'aurore : il fait beau. Délia, toujours vive, arrive dans la cuisine revêtue de sa toilette du dimanche.

— Mais non, Délia, il faut porter ta robe d'école. Nous allons apporter ta belle robe et la même chose pour Marie-Blanche. Il faut du linge propre pour le jour de l'An.

Le train pour Compton est à une heure. Il faut marcher jusqu'à la gare. Ils partent d'un bon pas, ils se sentent jeunes, emmitouflés de crémones et de mitaines, chargés comme des mulets, avec le bébé et des paquets méticuleusement ficelés. Subitement, d'une carriole qui passe, un bon monsieur offre de les conduire. Les petites filles sautent dans le traîneau comme des gazelles, suivies de leurs parents. Ces derniers se confondent en remerciements : « Le ciel vous le rendra. »

Ils grimpent dans le train avec émotion, même André en ressent un frisson de nostalgie. La machine à vapeur, c'était son rêve. L'aventure est brève. Quelque quarante minutes plus tard il sont à Compton, la carriole de Trefflé est là. Ils s'y entassent et partent à l'assaut de la montagne.

Toute la famille se laisse glisser allègrement. Léona fredonne un air de Noël. Une heure passe, quand, soudain, le bébé Adrien qui dormait depuis le départ se met à pleurer. Léona tente de le consoler, mais il pleure de plus en plus fort. Une petite inspection permet de constater que l'enfant a besoin d'être changé. André dispute :

— Tu n'as pas prévu ça ?

— Peut-être que j'aurais pu lui mettre un bouchon, rétorque la mère. Il n'y a qu'une seule solution, il va falloir arrêter.

— Nous arrivons chez les Dupont, dit Trefflé avec calme. Je les connais, nous allons entrer.

Après un accueil chaleureux en accord avec la tradition québécoise, ils reprennent la route. Les enfants ont été restaurés et Léona a nourri le bébé, la bonne humeur est de retour.

— La noirceur s'en vient, nous avons encore la grande montée à franchir, dit Trefflé en commandant les chevaux.

Enfin, ils voient la maison de grand-père au fond du petit chemin d'entrée, près du grand pin. Ils s'extirpent de la carriole. Marie-Blanche est la première à descendre, elle court à la maison. Bientôt la maisonnée est en liesse, seul André ne partage pas entièrement cette euphorie. Pour lui, une ombre au tableau gâche sa joie... À la ferronnerie le propriétaire lui a dit :

— Après les Fêtes, je ne pourrai pas vous reprendre, l'hiver, c'est plus tranquille.

André ne l'a pas encore dit à Léona.

Pour les autres, la célébration se fait dans la sérénité coutumière. Les tourtières et les cretons réchauffent tout le monde. Avec les bonbons, le sucre à la crème, les étrennes, les enfants sont gâtés et aussi taquinés par les oncles.

Pour André, le retour à Coaticook est plein d'appréhension. Il fait enquête. Il n'y a pas de travail à la beurrerie non plus. Les semaines passent, Léona s'évertue à faire durer les provisions. Les légumes, qu'ils ont récoltés avant de partir, sont précieux. Le pain de sucre d'érable de grand-père Comtois symbolise la bouée de sauvetage, mais à regret, cette douceur diminue aussi et la cuisinière s'évertue à le prolonger.

André rencontre ses voisins chez le boulanger, il offre ses services. Petit à petit, il trouve le moyen de réaliser des réparations de toutes sortes grâce a son talent de bricoleur et ainsi obtenir quelques sous. Un jour, il rend la vie à une horloge chez une pauvre femme. Ce n'est rien, dit-il. Il est profondément généreux et toujours prêt à rendre service.

L'hiver s'annonce long et pénible, le petit pécule accumulé grâce au revenu du bureau de poste fond à vue d'œil. Le loyer, à dix dollars par mois, représente une somme importante. Bientôt, encore une fois, c'est la misère.

— On avait seulement des patates à manger, dira Léona plus tard.

L'oncle Noël vient porter la crème de ses vaches et souvent il s'arrête chez son frère. Un jour, il comprend la gêne de la famille. La semaine suivante, il arrive avec du lard salé et des œufs.

*
* *

Il nous faut l'hiver pour nous faire aimer le printemps, dit la chanson. Pour la petite famille, le printemps 1914 ramène la vie et, tel que prévu, la vapeur du rouleau fait germer la joie dans la maison. Le dégel est précoce et André chevauche la machine à travers monts et vallées. Le soir, il entre à la maison avec plus de boue que d'argent, mais sa jambe ne le fait pas souffrir, il est heureux.

Une quinzaine de jours plus tard, un matin, il y a de l'agitation dans la rue, les gens se dirigent vers la rivière. André sort, il pleut, il apprend que le niveau de l'eau monte de façon inquiétante. La pluie qui perdure depuis quelques jours fait gonfler le cours d'eau.

— Il y a de l'eau dans la cave, constate Léona.

Dans l'après-midi, l'eau monte toujours, elle se répand dans la rue et le lendemain elle est à deux pouces sous le plancher du rez-de-chaussée de la maison, où elle se stabilise. Quand, enfin, la crue se retire, elle laisse un environnement de désolation. Le trottoir de bois est arraché, les hangars se sont promenés jusque chez le voisin, même une petite maison est détachée de ses fondations. Tout est humide dans la maison et l'odeur qui émane de la cave est inquiétante. Tout le village est bouleversé, André se rend à l'évidence :

— Il n'y a pas de choix, il faut déménager.

André trouve une nouvelle demeure, chemin de Dixville, à la périphérie du centre de l'agglomération. La rue de l'Église, qui porte cette dénomination jusqu'à la croisée de la rue Main, se prolonge alors et est désignée sous le nom de chemin de Dixville.

Le déménagement se complique par le fait que l'état des rues lavées par les pluie diluviennes et l'inondation exige des journées de travail prolongées. André trouve une solution en organisant, avec des voisins, le déplacement en deux soirs, de façon à se réserver quelques heures de repos.

— Ce soir nous déménagerons les lits et la cuisine, et le reste demain, dit-il.

La maison, plus vaste, comporte une particularité : elle est divisée en deux, dans le sens de la hauteur, par la maison des Lanciault, comme l'appelle Marie-Blanche, du nom des propriétaires, qui partagent l'habitation avec eux. Le logement comprend deux chambres à l'étage et des toilettes à l'eau courante, ce qui représente un grand confort pour les enfants. Une belle véranda, qui entoure la maison, se termine par deux jolies colonnes qui soutiennent le perron d'entrée.

Pendant quelques jours le ménage est un véritable capharnaüm. Léona laisse les choses un peu à l'abandon. Sa sœur Floriane, qui demeure également à Coaticook, vient lui prêter main-forte. Encore une fois, les choses se tassent et la maîtresse de maison reprend courage.

De l'autre côté de la rue en face de la maison, un immense terrain vague permet aux enfants de s'ébattre. Il n'y a qu'un bâtiment au fond du terrain. On suppose que la maison a peut-être passé au feu et que les gens ont fui.

Les fillettes retrouvent leur classes et compagnes au couvent. Elles continuent leur année scolaire avec la même attention et le désir ambitieux d'être la première à la fin de l'année. Ce qui effectivement se produit au mois de juin. Elles remportent toutes les deux les honneurs de leur classe en s'écriant : « Vive les vacances ! »

Les derniers jours de juin, André revient avec une nouvelle troublante.

— Le 28 juin l'empereur d'Autriche, l'archiduc François-Ferdinand de Habsbourg, a été assassiné à Sarajevo. Ça pourrait provoquer une guerre, ajoute-t-il.

L'été bat son plein, les enfants demandent avec gaieté :

— Est-ce qu'on va chez grand-père ?

En arrivant à la maison paternelle André exhibe sa grosse bagnole. Toute la maisonnée est dehors pour admirer.

— Si vous voulez, maman, je peux vous amener à la grand-messe à Coaticook.

Tous les dimanches, par la suite, il se fera un devoir de rendre ce service à sa mère, qui de son côté n'est pas peu fière de se faire carrosser en grande dame, tirée à quatre épingles.

Durant l'été, la municipalité de Coaticook fête ses cinquante ans d'incorporation en 1864, par une grande fête populaire sous le thème: *Old Home Week*. La foire comprend une exposition agricole et un petit cirque qui se produit sous la grande tente. Le samedi, les grands-parents viennent visiter la famille et participer à la fête. Aux alentours, les vendeurs forains sont là avec leurs installations. Grand-mère Elphège, qui est la marraine de Marie-Blanche, lui offre une jolie ombrelle. La fillette est transportée de joie!

Un jour, tous les journaux affichent en manchette: « La guerre est déclarée. » Le 28 juillet l'Autriche a déclaré la guerre à la Serbie et huit jours plus tard à la Russie. Le 1er août l'Allemagne déclare la guerre à la Russie et trois jours plus tard à la France. Le 4 août la Grande-Bretagne déclare la guerre à l'Allemagne et le 23 août le Japon entre dans la ronde en déclarant la guerre a l'Allemagne. Toute l'Europe est en ébullition. La guerre durera quatre ans.

Un dimanche du mois d'août, un photographe ambulant se présente à la maison. Léona décide de profiter de cette heureuse occasion. L'artiste place la famille dans l'escalier extérieur de la maison. Floriane est là avec ses enfants, Véronica et James. Le petit Adrien, qui est maussade ce jour-là, refuse de se faire photographier et court se coucher. Plus tard, il faudra lui expliquer pourquoi il n'est pas sur la photo.

Subitement, à la fin de l'été, le rouleau à vapeur est fatigué, un morceau de la mécanique cède. André se procure la pièce et répare la machine. Son entourage est émerveillé, mais lui, il songe surtout à l'hiver. Il voit venir l'automne avec appréhension.

Pour le moment la vie est belle; l'après-midi, après son travail, André amène la famille en automobile chez grand-père Comtois pour y chercher des pommes. La vie à Moe's River est mouvementée. Les quatre sœurs religieuses sont là en vacances. Les enfants n'ont pas assez de joues pour satisfaire les embrassades. André fait une séance de photo, il a pris soin d'installer les sœurs dans sa voiture. Ce sera un souvenir impérissable.

Le couvent est beaucoup plus près et, parfois, durant les vacances, les enfants jouent dans la cour. Une religieuse s'intéresse aux enfants, elle remarque la petite sœur de Marie-Blanche, Marguerite, qui est bien jolie, elle aura quatre ans à l'automne.

— Aimerais-tu venir à l'école ? demande la religieuse.

En baissant la tête, l'enfant fait signe que oui.

Léona consent facilement et les trois filles entreprennent une nouvelle année scolaire. Plus tard, la petite se souviendra toujours d'avoir appris les lettres de l'alphabet en chantant en anglais.

Avec le mois de septembre, le travail dans les chemins diminue. André profite de ses journées de relâche pour aller aider son frère Noël. Il a une idée derrière la tête.

— Maintenant qu'Ernest est parti, si tu veux, je viendrai passer l'hiver avec toi. Je t'aiderai et je pourrai réparer les instruments agricoles.

L'assentiment immédiat de Noël le rassure.

Depuis le déménagement de la fin de mai, Léona se sent fatiguée. Un matin au lever, les enfants trouvent tante Floriane dans la cuisine. La maman est malade. L'aînée est inquiète, elle a entendu les plaintes de sa mère durant la nuit et le brouhaha au rez-de-chaussée.

— Tu vas aller chercher ton père chez ton oncle Noël, lui ordonne sa tante.

La fillette part bravement, il y a un mille et demi.

— Ne marche pas trop vite dans la grande côte, lui recommande sa tante.

Un peu avant midi elle est de retour avec son père et après le dîner elle entre en classe avec un billet d'excuse pour son absence du matin et bien fière de son exploit.

André apprend avec tristesse que sa femme a subi une fausse couche. C'était sa sixième grossesse, songe-t-il, et il décide de parler à sa femme de son projet :

— Tu sais, l'hiver s'en vient et je n'ai pas oublié la misère que nous avons eue l'année dernière. J'ai pensé que nous pourrions aller passer l'hiver chez mon frère Noël. C'est encore un déménagement. Il faut que je remise mon automobile et bientôt les chemins ne seront plus praticables.

— Il le faut bien, répond cette femme fidèle à son destin.

Voilà qui règle la question et encore une fois le couple ramasse ses pénates. Les « vieux » sont partis, Noël, qui vit seul, voit d'un bon œil l'arrivée d'une femme dans la maison. De son côté, Léona accepte facilement cette situation, qui assure une certaine sécurité pour toute la famille. Elle n'a pas oublié l'hiver précédent et la présence d'André à toutes heures du jour lui procure un réconfort.

Une ombre au tableau: les enfants sont retirés de l'école à la ville, excepté Marie-Blanche. Un voisin complaisant, monsieur Joyal, qui y conduit ses enfants, offre d'amener la fillette pour compléter sa troisième année. Léona fera la classe aux deux autres. Elle organise sa vie, elle connaît le programme scolaire, elle enseigne le piano, le tricot, la couture, elle fait du crochet, elle exerce ses talents et elle est même artiste à ses heures.

L'hiver passe avec sérénité, mais toute la maisonnée voit arriver la fonte de la neige avec joie. André reprend le travail au village. Il voyage à cheval, les chemins ne sont pas carrossables pour son automobile qui dort bien sagement.

La guerre est le grand sujet de conversation tout le temps et partout. L'Angleterre étant en guerre, le Canada l'est aussi. Le gouvernement presse les jeunes gens à répondre à l'appel et à s'enrôler. Déjà, plusieurs contingents de volontaires sont partis.

Bientôt, le gouvernement annonce des « mesures de guerre ». Des restrictions, touchant certaines denrées comme le bacon et des produits comme l'essence, sont imposées en faveur de la Grande-Bretagne. À Coaticook, la municipalité ne peut utiliser le rouleau à vapeur que deux jours par semaine, faute d'essence.

Pour André, encore une fois, la situation devient précaire. Comment sortir de cette impasse, se demande-t-il. Il continue a effectuer des travaux sur la ferme, il va porter la crème à la fromagerie et discute longuement avec les flâneurs qui s'y attroupent. « Paraît-il que des usines de munitions sont ouvertes à Sherbrooke et qu'on demande des hommes », dit l'un. André rumine cette petite phrase. Il n'y a pas un grand avenir à rouler les chemins quelques mois par été, songe-t-il. Le soir, il en parle à sa Léona:

— Avec mon infirmité je ne serai pas appelé sous les drapeaux, mais je peux travailler. Paraît-il que ce sont de gros salaires dans les usines de munitions.

Pendant que Joseph et Elphège sont là durant l'été, certains dimanches, la maison paternelle réunit les frères des alentours et même le docteur Pierre, qui vient de Montréal en voiture. C'est la fête pour les cousins et cousines qui s'amusent à courir à droite et à gauche. Dans l'après-midi, les grandes personnes discutent fort, de voitures et de politique. Les tempéraments sont vifs, le ton monte, des disputes éclatent. Chacun est convaincu d'avoir raison. Les enfants repartent avec un regret, en s'interrogeant et en gardant un souvenir un peu amer de ces affrontements...

À la fin de l'été, André part pour Sherbrooke. Il trouve une ville encombrée, il n'y a pas de logements libres, mais il peut se loger temporairement chez son jeune frère Ernest. Il revient au bout de huit jours, tout excité :

— Je commence à travailler dimanche soir à minuit à la Sherbrooke Iron Works. Je travaillerai de nuit.

Tous les samedis il est de retour à la maison, un trajet d'une vingtaine de milles. Il repart le dimanche soir, il commence à minuit. À l'usine, il travaille sur un tour pour fabriquer des obus. Il ne souffre pas de cet horaire, sa force physique absorbe vite cet inconvénient. Un jour, il déclare :

— En fin de semaine prochaine, je ne viendrai pas samedi, je vais faire des démarches pour trouver un logement, ça peut pas durer comme ça. Tu te prépareras pour le déménagement.

L'idée de son absence prolongée ne plaît pas à sa femme, mais elle ne dit mot. Avec les grands-parents et les enfants, ce n'est pas toujours facile.

Un peu par surprise, André arrive triomphant le samedi suivant. Il a loué un camion que son frère Ernest accepte de conduire pour le déménagement. Il raconte :

— C'est un vrai miracle, mercredi matin Ernest m'a dit qu'un de ses amis lui a parlé d'un logement qui se libérera samedi, aujourd'hui, rue Saint-Pierre. J'ai couru chez le propriétaire et j'ai eu le logement. Pendant que je signais le bail, un autre gars est arrivé, je t'assure que j'ai été chanceux. C'est une grosse maison en bois, de trois étages.

Le dimanche soir toute la famille s'entasse dans la voiture avec un bric-à-brac d'objets précieux et fragiles et le ménage suit dans le camion. Jamais un déménagement ne s'est produit d'une façon aussi impromptue.

La famille parvient au nouveau logis avant le coucher du soleil. Une maison peinte en gris, toujours la couleur qui absorbe la suie du chemin de fer. Ils sont au rez-de-chaussée, quatre grandes pièces, en avant le salon et la chambre des parents et en arrière la chambre des enfants et la cuisine. Des fenêtres égaient toutes les pièces. Les enfants sont couchés quand André s'en va travailler à minuit.

Le lundi matin, c'est la rentrée à l'école, encore une fois. Léona se présente avec près de deux semaines de retard, avec ses trois filles. Blanche possède son bulletin de troisième année et elle sera en quatrième, mais la supérieure de l'école refuse de placer Délia en troisième, puisqu'elle n'a pas fréquenté l'école depuis le mois d'octobre. Sa mère sait qu'elle est prête, puisqu'elle a enseigné à ses enfants, mais la religieuse est intransigeante. Pour Délia c'est une vive déception. Tout au long de son cours primaire elle sera classée deux ans après sa sœur aînée, alors qu'elle la suivait d'un an à Coaticook. Le refus de la religieuse provoque la colère d'André, il n'accepte pas facilement cette rebuffade faite à sa femme et à sa fille.

— Es-tu certaine d'avoir bien expliqué?

Léona oublie vite cet inconvénient. Elle est maître à bord. Son mari gagne un bon salaire, les enfants sont heureux, ils sont habillés de neuf, elle chante. Les jours s'écoulent paisiblement.

Au début de décembre, André lui dit:

— Qu'est-ce que tu dirais d'aller chez tes parents au jour de l'An? Je serai ici.

Toute joyeuse, elle écrit à Marie-Rose. La réponse ne se fait pas attendre. Trefflé viendra la chercher à la gare de Compton. Le jour du départ elle est rayonnante: elle est de nouveau enceinte. Elle s'est confectionné un manteau et un chapeau avec une aigrette brillante. Elle amène Délia avec elle, laissant la direction de la maison à Marie-Blanche qui a dix ans.

Trois jours plus tard, elle revient les bras chargés de cadeaux pour les enfants: pour elle, l'année 1916 débute en beauté.

De son côté, André s'acclimate à cette tâche d'ouvrier à la chaîne: la mécanique, c'est son domaine. Il travaille sur un tour pour façonner les obus. Une nuit, le même tour se casse. André trouve des outils et répare la machine-outil. La production à la chaîne peut continuer. Une semaine plus tard il est nommé contremaître de nuit.

Au printemps, il décide de cultiver un jardin sur un terrain vacant au coin de la rue, près de la maison. L'après-midi il se lève assez tôt pour y travailler. Il aime la terre, ce qui le pousse l'année suivante à utiliser un autre morceau de terre en arrière de la maison.

Le 16 juin 1916, Léona met au monde son cinquième enfant vivant, un petit garçon blond, plutôt frêle. Il naît le vendredi et le baptême a lieu le dimanche suivant avec son oncle Ernest et sa tante Florianne pour la cérémonie. Il se prénomme Benoît.

Au bout de quelque temps, l'enfant commence à pleurer la nuit. Neuf mois passent : plus il avance en âge, plus il pleure. La maman ne sait que faire, l'enfant est maigre, elle le nourrit au sein, elle-même est épuisée par les veilles. Un jour le vicaire vient faire la visite de paroisse, Léona lui raconte ses ennuis. La solution vient rapidement :

— Donnez-lui à manger.

La maman prépare un biberon à son petit braillard, deux jours plus tard, comme par miracle, l'enfant ne s'éveille plus la nuit. C'est la fin du tourment, il avait raison de pleurer, songe sa mère, il avait faim.

André donne souvent des leçons d'histoire à ses enfants. Un dimanche, il commence en disant :

— Au moment de la déclaration de la guerre en 1914, la ville de Sherbrooke avait un potentiel électrique bien établi...

— Qu'est-ce que ça veut dire « potentiel » ? demande Marie-Blanche.

— Ça veut dire force, puissance, capacité. Comme je vous disais, une grande puissance d'électricité, grâce à la rivière Magog, qui dévale de barrage en barrage.

Il rappelle aux enfants la découverte de l'électricité à la fin du siècle dernier et comment, sous le maire Léonide-Charles Bachand, le 1er mai 1908, le conseil municipal avait pris officiellement possession de la société privée, la Sherbrooke Power, Light and Heat.

Durant le mois de janvier 1918, une lettre de Laura avertit André que son père n'est pas bien. Selon le Dr Pierre, son fils, le cœur est fatigué. Dans la soirée du 25 avril, pendant que André est à son travail, son frère Ernest demande à lui parler :

— J'ai reçu un télégramme de Montréal, notre père est mort cet après-midi.

Le matin, quand les enfants se lèvent, ils trouvent André, la larme à l'œil, assis au bout de la table.

— Grand-père est mort, leur dit leur mère.

— Sais-tu, Léona, c'est aujourd'hui vendredi, je vais aller travailler ce soir et je prendrai le train demain matin pour Montréal. Je vais demander congé pour lundi, pour les funérailles.

Quand il revient le lundi soir suivant, il raconte les derniers moments de son père :

— Tu sais, Léona comment il était pieux, il allait à la messe tous les jours chez les Pères du Saint-Sacrement, tout près, sur la rue Mont-Royal. Depuis qu'il est tombé au mois de janvier, sa santé était chancelante. Un matin, il est sorti comme à son habitude, le temps était mauvais, il neigeait. En sortant, une bourrasque de vent l'a étouffé, au point de lui faire perdre le souffle et l'équilibre. Il est revenu à la maison en titubant et il a pris le lit. Finalement, une pneumonie s'est développée et c'est ce qui l'a emporté. Paraît-il qu'il est mort comme un saint, il a eu une vision de la Vierge, il a tendu les bras en l'appelant et il est retombé inanimé.

Un grand silence accueille ces dernières paroles.

*

* *

Les semaines passent. L'aînée, animée d'un tempérament ardent, s'intéresse à tout. Entre autres, tous les jours elle lit le journal local, *La Tribune*. Elle voit alors l'annonce d'un concours, ouvert à tous les lecteurs. Ce concours est présenté par la maison de meubles P.T. Légaré en collaboration avec le journal. Il s'agit de résoudre un mot mystère et de présenter la solution d'une façon originale. Les prix sont alléchants, il est même fait mention d'un piano, ce dont rêve l'adolescente.

— Maman, je vais participer à ce concours.

— Ce n'est pas facile, tu es bien audacieuse, tu n'as pas encore treize ans, lui répond sa mère.

— Oui, mais je les aurai bientôt. J'ai déjà une idée, je pense que je suis capable.

Alors, elle se lance dans la réalisation de cet ambitieux projet à travers ses études. Elle a autant d'énergie qu'un rouleau à vapeur. Elle confectionne un coussin en satin jaune en forme de quartier de lune et y dessine un clown à l'encre de chine et brode le nom du magasin, qui est le mot mystère.

— C'est très joli, lui dit Léona, tu pourrais broder une petite fleur dans la main du clown.

Quelques semaines plus tard, elle est proclamée gagnante d'un des nombreux prix. Il s'agit d'un montant substantiel, cent cinquante dollars, applicable à l'achat d'un piano. André accepte de payer cent dollars pour compléter l'achat. L'arrivée du piano à la maison marque une étape dans l'histoire de la famille.

La future tante Bernadette — elle fréquente encore Ernest — vient aider Léona en donnant des leçons de piano aux filles. L'aînée manifeste un réel talent. À l'automne, elle suit des cours d'une dame Champoux et continuera ensuite pendant deux ans.

Pour la majorité des gens, la vie n'est pas si rose. À l'école les compagnes des filles ont souvent des nouvelles tristes à annoncer. C'est un père, c'est un oncle, un frère, un ami qui ne reviendront pas de la guerre. D'autres reviennent estropiés, éclopés physiquement et mentalement.

Ces miséreux traînent avec eux bien d'autres malaises. On parle de plus en plus d'une fièvre maligne et très contagieuse qui se propage dans les grandes villes et surtout à partir des ports de mer. On la désignera sous le nom de grippe espagnole.

Comme un cyclone, la maladie sévit avec fureur. Bientôt, elle atteint la ville de Sherbrooke. À la fin de septembre, les autorités ferment les écoles, les églises et tous les lieux publics. Les cas mortels se multiplient, l'épidémie se développe de jour en jour. La grande faucheuse sème la terreur. La panique gagne la population.

Un jour, Léona constate que le petit Adrien, qui a cinq ans, est malade. En vingt-quatre heures la fièvre grimpe à 105° Fahrenheit. Léona isole l'enfant autant qu'elle peut. Inutile de penser aux médecins, ils sont trop occupés et parfois malades eux-mêmes. Elle a de la quinine que son beau-frère Pierre lui a procurée. Elle en administre deux grains au petit, une dose d'adulte. Dans son petit lit, il repose à demi conscient, blanc et cireux, flasque et trempé comme une lavette. La mère tremble. Vingt-quatre heures plus tard, son patient ouvre les yeux, elle le touche, la fièvre est tombée.

— Merci mon Dieu, s'exclame-t-elle.

Le malheur rôde encore. C'est Noël cette fois qui est victime de la contagion. Ernest a reçu un coup de fil de Coaticook. Il faut aller le voir.

— Je vais y aller avec ma femme pour quelque temps, mais c'est impossible de rester bien longtemps. J'attends des nouvelles pour un logement, dit Ernest en regardant tendrement sa douce moitié. Il a épousé la petite maîtresse d'école de Perryboro, Bernadette Boulanger, le 10 octobre et ils reviennent de leur voyage de noces.

— Amenez Marie-Blanche. Si tu reviens, elle pourra demeurer avec lui et le soigner, décide André.

Effectivement, après quelques jours Ernest reçoit un téléphone pour lui annoncer que le logement qu'il convoitait était enfin libre et qu'il devait régler l'affaire immédiatement, sous peine de perdre cette aubaine, car depuis la guerre les logements sont toujours rares.

Devant cette urgence, les jeunes mariés, voyant que Noël prend du mieux, décident de partir et laissent le malade avec Marie-Blanche. La jeune fille prend son rôle au sérieux, elle suit la consigne. Un voisin vient faire le travail à l'étable et il en profite pour encourager l'adolescente et répondre aux besoins de la maison et du malade. Pour sa part, elle va faire les courses au village, attèle le cheval pour livrer la crème et faire les emplettes nécessaires.

Entre-temps, Léona arrive au terme de sa huitième grossesse. La contagion qui sévit dans les hôpitaux met la santé des mères en danger. Plusieurs sont mortes en couches des suites de cette terrible grippe.

Le moment venu, André fait admettre Léona dans une clinique privée, chez le Dr Cabana. Le 26 octobre 1918 naît une petite fille. Elle est vraiment petite, mais sa santé paraît excellente. Elle est baptisée Charlotte. Le frère de Léona, Trefflé, et Rose-Amande, son épouse, sont les parrain et marraine.

À la maison, Délia, qui aura douze ans en janvier, est fière de son rôle de maîtresse de maison. Elle s'occupe de ses frères avec Marguerite, pendant qu'André essaie de dormir. Une voisine vient en soirée et reste pour la nuit.

Au bout d'une dizaine de jours une nouvelle arrive à Coaticook: Léona a donné naissance à un nouveau poupon, une belle petite fille. Encore quelques jours et voilà que Marie-Blanche ne se sent pas bien.

Était-ce la fatigue, était-ce l'ennui ? Noël, qui se lève et circule même, a compris et offre à l'enfant de retourner chez elle. André va la chercher. De son côté, Léona n'est pas fâchée de voir arriver sa grande fille.

Au matin du 11 novembre les cloches de toutes les églises sonnent à toutes volées, les sifflets des usines crient à contretemps avec vigueur, les gens sortent dans la rue, on gesticule, on crie. « La guerre est finie ! » Elle aura duré quatre ans.

La vie reprend son cours, les écoles ouvrent de nouveau, même le monstre de la grippe retourne dans son antre.

À l'usine, le travail diminue presque instantanément. On complète les contrats en cours, les ouvriers sont remerciés petit à petit, le travail de nuit cesse. La direction de l'usine offre à André le poste d'assistant contremaître de jour. Il accepte, mais un peu à contrecœur. Au bout de quelques mois, il n'en peu plus de jouer le rôle de second. Au début de 1919 il donne sa démission.

*

* *

André est de nouveau un homme libre, libre de disposer de lui-même et libre de son temps. Son premier souci est de réactiver son automobile, qui dort depuis l'automne. Il faut nettoyer le moteur, surtout les pistons. Il se paie le luxe de nouvelles chambres à air pour les pneus. Avant de démarrer il jette un regard à la batterie, il y ajoute de l'eau distillée, un coup de manivelle et vroum, vroum, la voiture invite à la promenade.

Il revient à son cher jardin. Il bêche, bêche pour ameublir le sol et y amalgamer le terreau. Il entre dans la cuisine pour discuter avec Léona :

— Viens me dire où tu veux les tomates et les autres choses.

— Je pense que tu devrais mettre les patates dans le terrain en arrière de la maison. Ici, sur le côté, c'est au sud et plus ensoleillé. Fais un carré de tomates ici et ensuite les oignons. Garde de l'espace pour les concombres, tu sais qu'il ne faut pas les semer avant la fête de saint Antoine. J'aimerais bien avoir des capucines dans ce coin-là.

Tout à sa besogne, André rumine un grand projet. Il a épargné un peu d'argent et il a la bougeotte.

— Ma femme, je vais aller faire chantier.

— Es-tu sérieux?

— Il y a longtemps que je pense à ça. Je n'ai pas de terre et je ne peux pas cultiver. J'ai confiance que les chantiers en forêt sont actuellement profitables à cause de la grande demande de bois de pulpe.

De son côté, Léona n'est pas tout à fait d'accord, elle préférerait qu'il trouve un travail à Sherbrooke. Mais comment vouer au prolétariat son aventurier inventeur et ingénieur mécanicien? songe-t-elle. Devant l'enthousiasme de son mari, elle cède facilement. Plus tard, elle regrettera d'avoir accepté.

Il entreprend alors d'obtenir un contrat de coupe de bois. Il se rend à la Brompton Pulp & Paper à Brompton, à quelques milles à l'est de Sherbrooke, où on lui promet un contrat pour couper deux mille cordes de bois de pulpe à Saint-Raymond, comté de Portneuf, à trente milles au nord de Québec et quelque cent soixante-dix milles de Sherbrooke.

Il part avec son frère Ernest, qui est aussi sans emploi, pour une tournée de reconnaissance des lieux du projet. Ils trouvent une route qui plonge en forêt, mais le chemin devient vite impraticable pour une voiture. Les deux hommes partent à pied jusqu'à un petit cours d'eau, c'est un point de repère. Ils marchent pendant deux heures. Le bois est dense, mais le terrain dans la montagne est abrupt et éloigné de la route. Les deux explorateurs reviennent à leur automobile satisfaits de leur investigation, mais fatigués. Après une crevaison à la sortie du bois, il passe minuit quand ils rentrent à la maison.

André signe le contrat et se lance dans les préparatifs. Ce n'est pas une petit affaire. Il calcule et fait des listes de ceci et de cela, chevaux, traîneaux, batterie de cuisine, outils et naturellement des bûcherons. Il a accumulé quelques centaines de dollars durant la guerre. Ernest sera son commis.

L'organisation doit se faire à partir de Saint-Raymond. Il embauche des hommes sur place pour bâtir le camp de bois rond. La construction est divisée en deux. Une partie pour la cuisine et la chambre du cuisinier, l'autre pour le dortoir. Le châssis des lits consiste en charpentes de bois rond sur lesquelles on pose quelques planches que l'on recouvre de branches de sapin. Si un bûcheron veut un lit plus moelleux il n'a qu'à couper plus de branches. Pour lui-même et son commis, André construit un petit camp, qu'il appelle son office. Quand le chantier entre en exploitation, il a englouti une grande partie de son avoir, mais il compte faire un gros bénéfice.

Quand il revient à Noël, il raconte ses émois. Il a une vingtaine d'hommes, la plupart sont restés au camp pour le temps des Fêtes, considérant le prix du voyage en train trop onéreux. Il a quatre chevaux de trait, ce sont des percherons, ils sont forts et leurs pattes énormes en témoignent. Par contre, il a son propre cheval. Il a reçu un premier versement d'argent, il a payé les hommes et remet une somme à Léona, à déposer à la banque.

Il repart avec son appareil photo. Pour Léona, comme dit Gilles Vigneault, le plaisir, c'est de s'ennuyer. Elle n'est pas enceinte, ce sera un repos pour moi, songe-t-elle. Son mari doit revenir au printemps.

Bientôt, le charriage du bois commence. Il faut transporter tout le bois coupé au cours de l'hiver, à l'orée de la forêt. Un après-midi, il commence à faire noir et les hommes viennent chercher André, car ils craignent que le chargement, qui est en mauvaise posture, ne se renverse et entraîne les chevaux en bas de l'escarpement de la colline en culbutant, ce qui provoquerait leur mort.

Avec une sorte de gaffe les hommes accrochent les billots de bois sur le traîneau et tirent vers le haut. André est en arrière et s'arc-boute avec les hommes. Au moment où on commande les chevaux, le traîneau fait un écart, André tombe et le bout du patin passe sur sa jambe. Les chevaux sont sauvés, mais...

Le lendemain, André arrive à la maison supporté par deux hommes, son frère Ernest et un bûcheron. Il est très souffrant. Le docteur mandé constate une profonde déchirure à la jambe, l'os est touché. Il nettoie délicatement la plaie, fait un pansement et déclare :

— Je vous recommande de ne pas bouger. Si la gangrène se met dans la plaie, vous pourriez perdre la jambe. Je reviendrai demain.

Toute la famille est consternée, même les enfants sont en mesure de comprendre le drame pour leur père, qui n'a qu'une jambe. Ils se jettent en prières et font des promesses, même André se recommande au Seigneur avec ferveur. Le lendemain matin les enfants partent pour l'école la tête basse, ils ont hâte d'être de retour.

Chaque jour le docteur est là, il n'y a pas d'aggravation ni de complications. Au bout d'une semaine il déclare :

— Vous avez une forte constitution, et vous êtes en bonne santé, la plaie va se refermer normalement. Heureusement que vous aviez de gros vêtements, ce qui a probablement amorti le choc. Continuez à vous reposer, je reviendrai.

Au chantier, le charriage du bois à l'orée de la forêt continue, mais le chemin est plus un tracé qu'un chemin. Souvent, les traîneaux glissent de côté et les hommes s'acharnent à maintenir le chargement sur la piste.

À ce moment, une autre catastrophe se prépare. Ernest est à la tête du chantier et les hommes travaillent avec une ardeur furieuse et opiniâtre à sortir le bois de la forêt.

Un jour, au début de mars, un agent de la Brompton Pulp se présente pour réclamer que le bois soit transporté, plus loin, près du chemin principal. Cette exigence représente une importante distance à parcourir avec le bois. Il n'y a pas de téléphone au camp et Ernest n'a aucun moyen de communiquer avec André, mais il est convaincu que le contrat stipule à l'orée de la forêt et non au chemin principal. Il refuse d'obtempérer.

Une semaine plus tard, à la maison, André, toujours impotent, reçoit un bref d'accusation de bris de contrat. Son état ne lui permet pas de retourner au chantier maintenant. Il entre dans une colère terrible. Le désespoir l'abîme.

— Ils n'ont pas le droit. C'était pas dans le contrat.

Une lettre lui apprend que les travaux sont arrêtés au chantier. La Brompton Pulp a beau jeu : le « jobber » ne se défend pas, il n'est pas là... Une semaine plus tard, c'est un avis de saisie qui lui est signifié.

Bientôt, un huissier se présente à la maison pour réclamer des dommages. André n'a plus d'argent, il reçoit un avis que ses biens seront vendus à l'encan une semaine plus tard.

La veille de l'exécution, le piano disparaît chez des amis. Les voisins sont là quand se présentent les huissiers. Ils achètent les meubles à un prix dérisoire, le mobilier du salon, la berceuse de la maman, celle qu'elle utilise pour nourrir ses bébés. Seuls le gros pupitre du bureau de poste de Perryboro et la jolie chaise en velours rouge dans le salon, cadeau de sa mère, jugés trop chers pour les petits acheteurs, sont livrés aux bourreaux.

Il ne reste que l'essentiel que permet la loi à un père de six enfants. Son compte de banque est saisi, il a tout perdu, il est ruiné. Il ne reste à Léona et André, humiliés, que leurs chers enfants et leurs larmes.

Ô miracle ! Le lendemain, les meubles que les voisins avaient achetés reviennent à la maison. Mais à l'école les enfants sont moins charitables, une fillette persifle :

— Ce sont des vauriens, ils ont été vendus pour leurs dettes.

À la fin du mois, la famille déménage au troisième étage. Le prix du loyer est d'un dollar moins cher. Aussitôt qu'il peut sortir, André se rend à Saint-Raymond. Il ne reste au camp que les choses jugées essentielles, dont deux chevaux et ses effets personnels. Il vend le tout à un prix de sacrifice et remet un peu d'argent aux bûcherons.

Le dépit d'avoir été lésé le dévore. Il revient à la maison avec plus de rage que de découragement.

La grande maison

7

La maison paternelle

EN CE PRINTEMPS 1920 LA DÉSOLATION habite la famille, mais la maîtresse de maison en a vu d'autres. Son fin visage transpire une paix intérieure, qui arme son courage pour escalader ce pic d'incertitude. Elle maintien la routine, excepté le menu, qui se résume au strict nécessaire. L'épicerie du coin accepte de faire crédit pour le moment.

L'attitude de leur mère encourage les enfants, le matin ils dévalent l'escalier du troisième vers l'école, dont on voit l'arrière dans la rue voisine. Ils sont quatre, les trois filles et Adrien qui termine sa première année. De son côté, Marie-Blanche a vite compris qu'elle doit abandonner ses cours de piano chez Mlle Gélinas. Elle a beaucoup progressé, aussi elle se console en continuant de jouer.

Le petit Benoît, il aura quatre ans en juin, joue dans la cour avec les autres enfants. Il n'y a que le bébé, Charlotte, qui, à dix-huit mois, se promène autour de ce qui reste du mobilier.

Encouragé par sa femme, André analyse la situation, il rumine les circonstances qui ont provoqué cette débâcle. Comment sortir de cette souricière qui l'étreint, lui si fier, si convaincu de toujours faire son possible avec un brin d'orgueil de lui-même.

Une petite neige a couvert la terre durant la nuit, il sort avec le balai pour nettoyer le perron. Il songe : c'est de l'argent qu'il me faut trouver pour nourrir les miens. Depuis quelques jours une solution naît dans son esprit, mais il n'ose pas l'exprimer. Les mots sont trop lourds. Pourtant, c'est inévitable, se répète-t-il.

Un matin, alors que les enfants sont partis à l'école, il tourne autour de Léona:

— Ma femme, je ne vois qu'une chose. Je vais vendre la voiture, je n'ai pas les moyens de la garder.

Léona sent dans sa voix un petit tremblement, l'adieu à ce trésor le déchire. Le véhicule, étant remisé pour l'hiver, a, presque par miracle, échappé à la tornade.

Il se rend chez un de ses amis qui possède un commerce de bois et qui admirait grandement l'automobile et la lui offre.

— Je te donne trois cents dollars, à condition que tu l'amènes à ma porte en bon état, déclare son ami.

Pour André, c'est une fortune. La condition est facile pour lui, il a toujours entretenu cette automobile, surtout le moteur, en parfait état. Quand finalement le marché est conclu, André revient à la maison le regard brillant, il donne l'argent à sa femme en déposant un baiser sur sa joue, il a les larmes aux yeux. « Tu peux payer l'épicerie. »

Le lendemain il bêche dans son jardin avec une ardeur renouvelée, la vie reprend ses droits. Ce sera le plus beau des jardins, songe-t-il.

L'après-midi, après l'école, Marie-Blanche et Délia lui manifestent leur appui en retournant le terreau. Il leur déclare avec un peu d'entrain:

— Bientôt nous aurons des petits légumes frais.

En même temps la cour s'anime, les plus jeunes jouent autour de leur père en engouffrant une tartine, même Marguerite descend avec la petite. C'est déjà une ère nouvelle.

L'effervescence des années de guerre est retombée. L'année 1920 est marquée par la dépression économique. Plus particulièrement dans cette partie du quartier sud de la ville, désignée sous le nom de « Petit Canada ».

Cette appellation remonte aux années 1880, pour désigner le quartier ouvrier canadien-français qui apparut au sud de la voie ferrée du Waterloo & Magog Railway (devenu le Québec-Central) entre le chemin Belvédère et le chemin de Lennoxville (rue Wellington). Aujourd'hui, ce qualificatif a pratiquement disparu.

Le travail se fait rare et André ressent cruellement la tournure quasi tragique de sa situation. Il parle à ses amis et vante ses capacités comme mécanicien, machiniste et licencié en chauffage de moteurs à vapeur. Depuis un an, il réussit à survivre en répondant à la demande temporaire à droite et à gauche. Un matin, alors qu'il est chez le marchand général pour acheter une pioche pour son jardin, il entend quelqu'un dire :

— Il y a eu un accident à la fabrique de briques sur le chemin de Lennoxville, la pelle mécanique a basculé et le chauffeur est tombé et a été écrasé. Il n'est pas mort, mais il semble qu'il soit gravement blessé.

André tend l'oreille, un frisson lui chatouille l'échine. « Je suis capable de le remplacer », décide-t-il. Sans attendre, il part à pied vers la briqueterie, il y a près de deux milles pour y arriver.

Quand il revient à la maison, l'heure du dîner est passée, mais Léona voit dans son visage que quelque chose est arrivé. Devant son regard inquisiteur, il annonce :

— Imagine-toi donc, j'ai trouvé du travail.

Il lui raconte son aventure et ajoute :

— Ils font réparer la pelle mécanique et je commence probablement jeudi.

À partir de ce moment, tous les matins à six heures trente il part avec sa boîte à lunch pour aller s'asseoir sur le siège de la machine et arracher la glaise de la falaise. Il se sent délivré de la fange. Il a un salaire modeste, mais qui lui permet de nourrir sa famille.

Un jour, le long du chemin de retour, André voit près d'une ferme une vieille automobile Ford, qui semble à l'abandon. Il s'approche pour l'examiner. La poussière du chemin enveloppe la machine. De sa main, il époussette les ailes et les sièges. La carrosserie est encore bonne, constate-t-il. Soudain, un homme approche.

— C'est à vous cette auto ? dit André.

— Oui, c'est mon fils qui avait acheté ça, il l'a laissée là et il est parti, elle ne fonctionne plus.

— Combien en veux-tu ?

L'autre hésite.

— Je te donne cinq belles piastres.

Le fermier acquiesce de la tête.

— Tu as un cheval, la traînerais-tu dans ma cour ? Je demeure sur la rue Saint-Pierre.

— Si je la traîne chez vous, ce sera six piastres.

— Marché conclu, dit André.

Bientôt, de sa cuisine, Léona entend du bruit insolite dehors, elle jette un œil et voit l'équipage qui arrive chez elle. Elle s'écrie :

— Mais à quoi penses-tu ?!

— Dis rien, ma femme. Je vais la réparer.

Au bout de quinze jours, il a trimé durant tous ses moments libres, il a dépensé l'argent du ménage, mais il rit, l'automobile fonctionne. C'est un modèle T de Ford, rien de très luxueux, mais une auto qui correspond à ses moyens.

Un soir, comme à son habitude, André travaille à son jardin, il rechausse les patates à la pioche. Un gros orage a lavé le terrain. Il regarde les plantes qui portent d'abondantes fleurs, signe de bonne récolte. À cette heure du jour, c'est aussi pour lui le moment de la méditation. Le même sujet revient toujours à son esprit. Il ne peut accepter sa dernière débâcle financière, ça le chicote, il n'a pas dit son dernier mot. Subitement, il laisse son travail, entre dans la maison et déclare :

— Ma femme, je vais obtenir une séparation de biens, tout mettre à ton nom. Plus jamais tu verras les huissiers dans ta maison à cause de mes difficultés financières.

Léona regarde son mari, elle n'en croit pas ses oreilles, elle reste bouche bée. Elle se laisse glisser sur une chaise en murmurant « séparation ». Ce mot l'affole. Ils sont mariés sous le régime de la communauté de biens, une situation matrimoniale jugée presque immuable dans l'esprit des gens et même de la loi à cette époque.

Soudain André comprend son étonnement et il s'empresse de lui expliquer que rien ne sera changé entre eux.

— Tu sais bien que je t'aimerai toujours, mais j'ai un jugement sur le dos pour cinquante ans.

Cette perspective rebute Léona, mais André reste ferme dans sa résolution. À son travail, jour après jour, il allonge les heures, et bientôt il obtient un jour de congé. Il se rend chez le notaire Léonidas Bachand, dont l'étude se trouve rue Wellington, à Sherbrooke. Après lui avoir expliqué ses déboires, il demande à l'homme de loi d'entreprendre des procédures légales en vue d'obtenir une séparation de biens entre sa femme et lui.

C'est ainsi que le 12 janvier 1921, dame Léona Comtois, épouse légitime d'André Van Dendeck, comparaît en cour supérieure à Sherbrooke, devant le juge Arthur Globensky, demandant une séparation de biens. André n'est pas là, pour les besoins de la cause, il doit apparaître négligent. Il a demandé à son ami, qui a acheté son automobile, de conduire sa femme et sa sœur Florianne qui l'accompagne.

La demanderesse est debout devant le magistrat, sidérée. Elle tremble, à demi consciente de ce qui lui arrive. Elle est enceinte. Elle entend, comme dans un mauvais rêve, la plaidoirie de son procureur :

« Depuis l'existence de ladite communauté, ledit André Van Dendeck a été malheureux dans ses affaires, il a souffert des pertes considérables et il est aujourd'hui insolvable et ses biens ont été saisis à la suite d'une poursuite de ses créanciers.

« La demanderesse a raison de craindre que ledit André Van Dendeck ne dissipe ses biens, créances et effets, et, partant, les biens de la communauté.

« L'action en séparation de biens en cette cause se poursuit contre le gré dudit André Van Dendeck.

« Le défendeur ayant fait défaut de comparaître et de plaider cette cause, le juge maintient l'action de la demanderesse et déclare la demanderesse séparée de biens d'avec son mari. »

De retour à la maison la jeune femme est broyée, elle est fiévreuse. Elle prend le lit. Son mari l'entoure de ses soins avec un sentiment de culpabilité. Il est lui-même déchiré de la voir dans cet état. Il craint qu'elle ne perde son bébé. Il est là constamment, puisque depuis le mois de décembre il est chômeur. L'hiver il est impossible d'arracher la glaise à la butte gelée.

Depuis longtemps, Marie-Blanche et Délia demandent à retourner vivre à la campagne. Les enfants reviennent à la charge souvent, en rappelant les belles années de Perryboro. Ce à quoi André répond toujours :

— Quand je trouverai quelque chose assez près de la ville pour vous permettre d'aller à l'école, j'achèterai.

Aujourd'hui les circonstances l'invitent à cette alternative. « À la campagne je pourrai cultiver et avoir une vache et du lait pour les enfants », se convainc-t-il intérieurement. Il entreprend des démarches jusqu'au jour où il entend parler d'un propriétaire terrien à l'est de la ville qui aurait probablement quelque chose qui lui conviendrait.

Après le cheminement habituel et la nouvelle convention matrimoniale, le résultat escompté devient réalité. C'est ainsi que le 9 avril 1921, dame Léona Comtois signe un bail conditionnel à Eugène A. C. Bourque pour six ans, à compter du 1er mai de la même année, pour dix âcres avec bâtisses, faisant partie du lot 21a, du Rang 6 dans le canton d'Ascot, à être pris au nord des dix âcres de Magloire Brière.

Le prix du loyer est de 1250 piastres, que la locataire s'engage à payer de la manière suivante : payable cent piastres par année jusqu'à l'expiration des six ans et à ce moment la balance sera exigible, payable en entier, le tout avec intérêt à six pour cent.

Le gendre du propriétaire E. A. C. Bourque, Joseph Baillargeon, présent aux délibérations, intervient comme étant propriétaire de la maison, selon un bail signé devant le notaire Édouard Boudreau en date du 24 juillet 1918. Ce dernier accepte de renoncer à ses droits sur réception d'un montant de 250 piastres de la part de la présente locataire et en donne quittance.

Léona est maintenant propriétaire, elle répond aux aspirations de son mari. La maisonnée est en liesse devant cette acquisition. Le soir, autour de la table, les enfants s'excitent, les rêves s'échafaudent. André constate qu'ils ont vieilli, l'aînée se prépare pour le diplôme modèle et Adrien a fait sa première communion à Pâques.

Ce jeune garçon ressent une fascination pour les offices religieux. À la maison, il joue souvent « à dire la messe » avec un de ses petits copains, Gaston Bergeron. Au sermon il déclare : « Je ne veux pas de chiens dans l'église. » Tous les deux sont devenus prêtres, l'un dans le clergé séculier, l'autre chez les Franciscains.

Aussi, il a vu les ouvriers de la compagnie de téléphone Bell grimper dans les poteaux de bois avec agilité. Un jour, il décide de grimper dans une des belles colonnes en bois qui ornent la façade de la maison. Il pratique des coches dans le bois pour y monter. Paraît-il que le papa a réglé l'affaire avec le propriétaire, mais des années plus tard, le fils ne se souvient pas d'avoir été grondé.

Il aime bien jouer des tours. Pour aller au deuxième étage, où il y a deux logements, il y a deux escaliers. Un jour, toujours avec son copain, il sonne à la porte du deuxième et, en ricanant, ils se cachent tous les deux dans l'entrée de l'autre escalier. La bonne dame descend, ne voit personne et remonte chez elle. Le petit espiègle sonne une deuxième fois, mais là, ça se passe autrement. Au lieu de remonter, la dame reste près de la porte et à la troisième tentative elle pince les coquins. Cette fois, c'est la mère qui règle l'affaire et Adrien va se mettre à genoux dans le coin.

Rue Saint-Pierre, la maison était la dernière avant le coin de la rue Short, laissant l'espace d'un terrain vague, où son père fait son jardin. Les ouvriers, en revenant de l'usine, passaient sur ce terrain pour couper le coin. Avec son compagnon, le petit gars plante deux petits poteaux de quatre pouces environ et y attache un fil au-dessus de la piste. En passant les ouvriers s'accrochent et culbutent.

Une autre fois, avec son petit frère, alors qu'ils se sont rendus à la briqueterie, ils profitent tous les deux d'un moment où leur père est occupé à autre chose pour grimper sur la pelle mécanique. Benoît pousse le bras et la pelle commence à tourner sur elle-même de plus en plus vite. « Papa nous a crié de tirer le bras et la pelle s'est arrêtée », raconte plus tard Adrien ; et il ajoute: « Papa avait l'air fier de nous. »

Dans la famille, la future ferme est le sujet constant de conversation et les enfants questionnent leur père. Lui seul a vu l'emplacement. C'est une petite maison carrée de vingt pieds sur vingt, sans étage, leur explique-t-il.

— Je vais lever le toit de la maison et construire un étage. Comme c'est là, on pourrait jamais se loger. Le temps presse avant que je recommence à travailler à la briqueterie.

Il fait livrer des matériaux, qu'il porte à son compte. Avec un ami, surnommé « la volaille », il se rend à la ferme. Le chemin n'est pas carrossable. Il laisse son automobile à la limite de la ville et continue à pied. Avec des victuailles pour la semaine et des outils, ils sont chargés comme des mulets de montagne et grimpent la côte qui conduit au futur paradis. Le beau temps se met de la partie et les deux hommes travaillent de l'aube au crépuscule. Ils parent au plus pressé.

Un dimanche, c'est l'euphorie à la maison. André accepte d'amener les enfants au chantier de construction. Ils assistent à la messe très tôt et c'est la fête. Ils descendent de la voiture à la bordure de la civilisation pour entreprendre la montée. Ils sont tous là, excepté le bébé. L'aînée a décidé d'amener le turbulent Benoît pour permettre à leur mère de se reposer. Son état est de plus en plus évident.

Il y a plus d'un demi-mille à marcher. Ils partent plein d'entrain, mais bientôt il y a des soupirs. Il faut porter le gros Benoît. La colline est abrupte et le chemin étroit et boueux. La neige apparaît encore entre les arbres et dans le fossé.

— Est-ce qu'on arrive?

— Oui, en haut le chemin tourne à gauche et devient plat jusqu'au bout, répond leur père.

Quand ils y parviennent, ils sont un peu dépités par l'isolement, mais chacun reprend son souffle.

— Il y a une grange, s'écrie Adrien, tout surpris.

— Oh! le joli petit étang, constate l'aînée.

— C'est ça la maison? entonne Délia. Des bouts de planches dépassent autour du toit. Elle est petite.

— Mais nous serons chez nous, conclut Marie-Blanche.

Ils entrent pour s'asseoir ici et là, qui sur un bloc de bois, qui sur une bûche et même par terre. Un petit escalier échafaudé annonce l'étage. Le panier de sandwiches englouti, les enfants parlent de retour.

— Quand pourrons-nous déménager? demande l'aînée.

— Comme tu peux voir, la réparation de la maison est passablement avancée, mais nous ne pouvons déménager avant qu'un événement ne se produise... dit le papa. Avant longtemps, il y aura un nouveau bébé à la maison.

— On pourrait pas le laisser en ville? dit Marguerite.

L'événement attendu se produit le mercredi 11 mai suivant. Léona accouche de son septième enfant, c'est une fille. Elle est grande et frêle. Le docteur craint même pour sa vie. On la baptise d'urgence sous le nom de Monique, son oncle Ernest et sa tante Bernadette agissent comme parrain et marraine. À la surprise générale, la petite s'accroche à son existence.

La fin du mois de mai pousse la famille à déménager, chassée par l'exigence pécuniaire. Il faut éviter de payer un autre mois de loyer. À peine relevée de ses couches, Léona accepte ce déménagement encore une fois inévitable. Avec un attelage de deux chevaux, le saut entre le P'tit Canada et le p'tit Rang 2 se fait sans encombre.

Quelques jours plus tard, André et Marie-Blanche partent à pied jusqu'au bas de la côte où les attend la Ford, l'un vers la briqueterie et l'autre vers son école. L'adolescente prépare son diplôme : au mois de juillet elle passera ses examens au Grand Séminaire.

Après son travail, André ira inscrire Délia et Marguerite à l'Académie Sainte-Marie à Sherbrooke-Est. Léona décide de garder Adrien à la maison, il est un peu jeune pour voyager à l'école des Frères du Sacré-Cœur et, pense-t-elle, il pourra occuper son petit frère et rendre de petits services. Le petit garçon est impressionné par cette dernière décision.

Les vacances d'été se passent dans l'entrain et la gaieté. Chacun et chacune y trouve son compte. La situation s'améliore lentement, bientôt le jardin commence à rendre ses produits, les filles font des travaux manuels, de la lecture et des promenades à travers le petit bois de pacage. Elles trouvent tantôt des petites fraises des champs, tantôt des framboises ou des mûres pour faire des tartes ou des poudings. Les garçons aiguisent leur instinct de prédateurs en chassant les grenouilles dans l'étang. Soirs et matin André entre dans la maison avec un seau de lait. « C'est une bonne vache que j'ai achetée », entonne-t-il.

Les enfants ont laissé leurs amis et amies en ville. Il n'y a pas de téléphone. Un jour, l'aînée écrit à une de ses amies en ces termes :

« L'endroit est isolé, mais attrayant. Un bosquet de bouleaux accompagne la maison, sur un terrain légèrement en pente. En face, de l'autre côté du chemin, brille un petit étang qu'alimente une jolie source qui sourd entre quelques grosses pierres. Tout près de l'étang une immense épinette noire domine le paysage. Je t'assure que notre coin est vraiment bucolique. »

Cet été 1921 se passe sous le charme de la nature, mais ces campagnards sont quand même heureux d'entrer à l'école le temps venu. Marie-Blanche, maintenant en possession de son diplôme modèle, avec honneur, entre au pensionnat du Mont-Notre-Dame, institution privée dirigée par les dames de la Congrégation Notre-Dame, pour obtenir son brevet académique. Délia et Marguerite sont inscrites à l'Académie Sainte-Marie et les garçons, Adrien et Benoît, à l'École des Frères du Sacré-Cœur. Ce dernier a eu six ans en juin, il veut aller à l'école comme les autres. Adrien, qui aura neuf ans en janvier, s'en porte garant. Le matin ils partent avec leur sac d'école et leur dîner jusqu'à l'auto et André les laisse à proximité des écoles. L'après-midi les écoliers reviennent tous à la maison à pied.

À quelque temps de là, Léona reçoit une lettre de sa sœur Marie-Rose, lui disant que son père estime qu'ils ne peuvent passer l'hiver sans un cheval. Trefflé viendra le conduire avant les froids. La fin de semaine suivante, André est fier de ramener son beau-frère chez lui en auto et son beau-frère est non moins content de cette opportunité.

Depuis quelques semaines l'auto atteint la maison, grâce à André qui a mis des heures et des heures en travaux d'amélioration et réfection du chemin. Quand arrive le mauvais temps et la gelée, il faut malheureusement remiser le véhicule dans la petite grange.

— Demain il faudra prendre le cheval et le départ sera plus tôt, avertit le père.

Bientôt, la vie hivernale s'installe. Au mois de décembre arrivent les mauvais jours. André est de nouveau chômeur. Après les Fêtes, il ne pourra plus payer la pension de Marie-Blanche. Il se rend au couvent pour rencontrer la supérieure, pour lui expliquer ses difficultés et obtenir un arrangement.

— Nous allons étudier la situation et nous vous donnerons une réponse, dit la religieuse.

Quelques jours plus tard, la supérieure convoque la jeune fille à son bureau.

— Vous êtes une élève sérieuse et vos résultats son encourageants, vous direz à votre père de ne pas s'inquiéter, nous allons vous garder gratuitement pour le reste de l'année.

La famille vit la saison des Fêtes et le passage à l'an 1922 dans une grande simplicité, mais Léona réussit avec beaucoup d'ingéniosité à créer une atmosphère de saine joie.

Les sapins ne manquent pas avec le bois à proximité de la maison, l'arbre de Noël brille sous les décorations, souvenirs de jours meilleurs. André a tué une volaille. Il y a même une orange et des bonbons dans les bas de Noël.

De son côté, André est triste, un peu maussade. Il n'a pas connu cette misère dans son enfance. Toutefois il se crée une routine. Après la besogne à l'étable et la marmaille conduite à l'école, il seconde sa femme dans les travaux ménagers. Il trouve quelques matériaux de construction pour améliorer la finition de la maison et ainsi la rendre plus confortable durant les intempéries hivernales. Il tente d'oublier ses ennuis et ses dettes, pourtant...

Le premier jour du mois de février, André reçoit un avis de protêt à la réquisition de la Banque Nationale, Sherbrooke-Ouest, pour un billet promissoire au montant de soixante dollars, avec intérêt de 7% par année, signé le 29 novembre 1921, devant le notaire Léonidas Bachand, payable à deux mois de cette date.

Le billet est endossé par J. D. Aubé et Oct. Dorais, tous deux résidants de la Route rurale 1 à Sherbrooke, qui reçoivent copie dudit protêt. André avait emprunté ce montant pour payer le premier trimestre du pensionnat pour Marie-Blanche. La petite histoire rapporte que les endosseurs durent payer le billet.

À l'été, les joies des vacances se renouvellent. Marie-Blanche a terminé ses études, elle reçoit son diplôme académique. Il faut immortaliser la joie par des photos à l'étang... Les enfants s'amusent dans l'eau avec un semblant de radeau, en attendant le photographe. Il y a de l'excitation. Subitement, une fausse manœuvre fait tomber Marguerite. Sous l'eau, elle perd bientôt sa pleine connaissance et ne réussit pas à se relever. À ce moment, les parents et Marie-Blanche arrivent. Celle-ci plonge aussitôt et retire la fillette en train de se noyer dans deux pieds d'eau. Elle restitue l'eau et reprend vie.

Les garçons, toujours taquins, lui demandent :

— Qu'est-ce que tu faisais sous l'eau ?

— J'arrachais l'herbe pour me lever, répond-elle.

Ce qui plonge les gamins dans une grande hilarité, mais ils sont seuls à en rire. De son côté, Marie-Blanche est fière de son héroïsme, non sans regarder tristement sa belle robe qu'elle a sacrifiée.

Le jardin d'André s'est agrandi et son entretien comporte une occupation constante pour les jeunes, surtout les garçons, Léona y veille. Au mois d'août les pieds de patates ont fleuri et leur feuillage est abondant et tendre surtout pour les coccinelles qui s'en délectent. Il faut les détruire, pour assurer la récolte des pommes de terre. Les garçons ont la tâche de les ramasser une à une dans une petite boîte en métal.

Par un bel après-midi ensoleillé, pour détruire les bestioles, ils les font brûler avec de l'huile de charbon. Ils sont près du hangar de la maison, ils ont dix et sept ans, cette tâche les amuse. Ils n'ont pas remarqué sur le mur des sacs de jute suspendus à sécher. En allumant le kérosène, le feu monte et atteint les sacs. Au feu! Les enfants courent avertir leur mère:

— Allez chercher de l'eau à l'étang.

Quand ils arrivent, elle verse quelques gouttes d'eau de saint Joseph dans l'eau et la lance sur le feu qui s'éteint immédiatement. Le soir, toute la famille réunie médite l'événement et reste ébahie. Quand la mère raconte le miracle, André se fâche:

— Je vous avais dit de vous éloigner de la maison! J'espère que vous allez vous en souvenir. Remerciez le Ciel si la maison n'a pas passé au feu.

Les saisons se succèdent. Depuis septembre Marie-Blanche enseigne à l'Académie Sainte-Marie. Il faut la voir le matin atteler le cheval et partir avec toute la gente écolière de la famille, chacun et chacune ayant son dîner. Cependant, Délia manque à l'appel. Depuis septembre elle est pensionnaire à l'École normale. Cette institution étant dans le même établissement que l'école primaire, l'Académie Sainte-Marie, elle peut parfois, à l'heure de la récréation, voir ses sœurs. Le règlement est sévère.

André, ne pouvant se résigner à passer encore un hiver à attendre le beau temps, la maison étant mieux organisée pour la famille, aux premières neiges, il prend son baluchon et, avec un compagnon, le train les emporte vers la forêt. Il entreprend un contrat de coupe de bois pour la Brompton Pulp.

L'hiver trouve Léona seule à la besogne, elle trait la vache matin et soir et dirige la maisonnée, tout en attendant son huitième enfant. Après les Fêtes, elle décide de garder Marguerite à la maison, par prudence, pour ne pas être seule avec les plus jeunes pendant que les autres sont à l'école. Marie-Blanche gagne vingt-cinq dollars par mois. Elle paie le pensionnat de Délia, soit la somme de dix dollars, et aide à la survie de la maisonnée.

L'hiver se poursuit, un samedi matin Léona parle bas à sa fille aînée...

— Tu vas atteler le cheval et venir me conduire à l'hôpital, le bébé va arriver, il ne faut pas que j'attende à la dernière minute. Marguerite va garder.

À l'hôpital, Marie-Blanche veut attendre, mais on lui dit de retourner chez elle, la naissance ne se produira pas avant le matin.

En arrivant, elle trouve son père à la maison. Connaissant l'état de sa femme, il est venu aux nouvelles. Le lendemain, dimanche, il est tôt à l'hôpital pour apprendre qu'un gros garçon lui est arrivé à cinq heures.

André retrouve sa femme avec émotion.

— Comment te sens-tu?

— Quand es-tu arrivé?

— Hier après-midi, je venais pour savoir comment tu étais. J'ai pu traire la vache en arrivant.

— Je suis contente de te voir, je me demandais comment on ferait pour t'avertir. Elle soupire. Je m'endors, le docteur m'a dit que ç'a été difficile. Tu sais, le bébé pèse treize livres, il est très gros. Je n'ai jamais eu de bébé aussi gros, et les larmes lui viennent au yeux.

— Ne t'inquiète pas, j'y suis et je vais rester le temps qu'il faudra.

C'est le 4 mars 1923, un gros garçon, c'est de bon augure, pense le papa. Le mercredi on le baptise sous les prénoms de Joseph Henri, sa tante Laura et son oncle Rudolph Hébert de Montréal deviennent parrain et marraine par procuration.

Une fois à la maison, le bébé pleure beaucoup, des pleurs tremblotants, sans énergie. Son grand corps indolent inquiète sa mère. Il ne semble pas normal. Au bout de trois mois Léona lui donne un biberon pour le satisfaire. Elle constate qu'il ne se tient pas la tête. Pour l'asseoir dans la grande berceuse, elle place plusieurs oreillers de chaque côté.

Les parents s'interrogent. Le médecin manquait-il d'expérience? Plus tard, petit à petit, on découvrira une infirmité. Le côté droit de l'enfant ne se développe pas comme le gauche. À l'été, l'oncle Pierre, médecin, vient de Montréal faire un tour, il déclare:

— L'accoucheur lui a tordu le cou.

— Mais heureusement, peu à peu, la situation se stabilise, l'enfant est plus calme, c'est un beau bébé, avec de grands yeux noirs, il a les traits de son père, mais sa santé demeure précaire.

Le printemps est particulièrement beau et André est de retour à la « bricade ». Avec le salaire de Marie-Blanche, la situation financière est meilleure et les vacances d'été s'annoncent joyeuses et fructueuses.

Les dimanches, André se rend à Coaticook pour conduire sa mère à la messe de huit heures. Même, depuis que son mari est décédé, Elphège continue de passer l'été à la ferme. De son côté, Léona va à l'office religieux avec les enfants en voiture à cheval.

Depuis plus d'un an, un jeune chien, Pato, partage la vie familiale. Une belle tête et un pelage fauve, il a gagné tous les cœurs. Un jour le chien revient, il est allé courir au loin. Ce n'est pas la première fois, son maître l'a averti, il ne veut pas d'un chien errant, il a désobéi. André se met en colère, il attache le chien et le bat sévèrement. Charlotte, elle aura bientôt cinq ans, entre dans la maison en disant à sa mère :

— Mon cœur cille.

À la fin de l'été, un matin, Léona se lève les yeux rouges et bouffis, elle a mal. Le lendemain, elle ne peut plus ouvrir ses yeux. André l'amène chez le médecin. Une infection grave, qui développe de petits boutons très douloureux, l'afflige. Le médecin prescrit le repos complet et l'application de compresses. Il faudra trois mois pour la guérir.

Alors, à 18 ans et avec son talent d'organisatrice, Blanche prend la relève de sa mère, clouée dans la grande berceuse d'osier. Elle fait de la couture pour préparer les enfants à l'école et pour elle-même. Une fois son père parti au chantier forestier, elle apprend à traire la vache.

Durant le mois d'août, tante Laura de Montréal vient visiter la famille, surtout le bébé, dont elle est la marraine. Pour soulager la jeune maîtresse de maison, elle ramène la petite Charlotte à Montréal pour quelques mois. Laura, qui n'a pas d'enfant, voudrait bien garder la petite pour toujours, mais son père est formel :

— Je garde tous mes enfants. Je la ramènerai au jour de l'An.

Désormais, les enfants ont vieilli et les aînées sont devenues des adultes, qui commencent à ébaucher une vie personnelle. Un projet se dessine à l'horizon pour Marie-Blanche. Son père lui a dit :

— Tu vas aller travailler à Montréal, tu demeureras chez ta grand-mère. Quand ton oncle et ta tante voudront sortir le soir, tu lui tiendras compagnie.

Depuis septembre, c'est au tours de Délia, qui possède maintenant son brevet, d'entrer dans l'enseignement. Profession qu'elle pratiquera toute sa vie. À ce moment elle dirige une école dans une petite agglomération dans le rang de la Côte-des-Quatorze, dans une belle vallée où sont établis une dizaine de cultivateurs, à environ deux milles de la maison. Elle a pension dans une famille, les Lemire. Adrien va la conduire le dimanche soir et il va la chercher le vendredi après la classe. Elle reçoit 75 dollars pour salaire en plus du gîte pour l'année, et elle est fière d'aider son père financièrement.

L'école, une petite maison d'une seule pièce, reçoit une quinzaine d'enfants de la première à la sixième année. Au centre trône un gros poêle ventru que l'on chauffe au bois. L'hiver la maîtresse d'école doit se rendre très tôt pour faire du feu, par contre lors des grands froids, un voisin complaisant vient allumer la tortue. Ce sont des cultivateurs paisibles et charitables.

En avant de la classe, le pupitre de la maîtresse repose sur une estrade. Dans un coin de la pièce, un seau d'eau, accompagné d'une louche, sert d'abreuvoir. Les grands garçons sont chargés de puiser au puits.

Le cabinet d'aisance... la « bécosse », sans eau courante, est installé à quelques pieds au fond de la cour. Dans la classe, les élèves sont assis à des bancs d'écoliers, deux par deux. Ils ont de 5 à 16 ans. Il faut toute la force de caractère de l'enseignante pour maintenir la discipline chez les plus âgés, surtout les grands garçons qui sont parfois plus grands qu'elle.

Au niveau un, il n'y a qu'une fillette de cinq ans, Dolorès Lemire. L'émulation n'est pas forte, considère l'enseignante. Afin de remédier à cette lacune elle décide d'amener sa petite sœur Charlotte, qui aura cinq ans à la fin du mois d'octobre. Dans le premier banc d'en avant deux belles têtes, l'une d'un blond roux aux cheveux longs frisés et aux yeux bleus, l'autre aux cheveux blonds doré, bien droits, avec une coupe carrée et une frange qui abrite deux grands yeux noirs.

Les deux demoiselles sont attentives et filent le parfait amour, jusqu'au jour où la maîtresse remarque que Dolorès pleure.

— Qu'est-ce que tu as ma chérie ?

— Charlotte m'a griffée.

— Pourquoi ?

— Parce que je l'ai dépassée.

L'émulation est forte, Charlotte semble prétendre être toujours la première. La coupable est placée à genou en avant de la classe. Le sermon qui s'ensuit est vigoureux et convaincant. La fillette est honteuse comme une criminelle. Jamais plus elle n'aura une telle réaction.

Cette dernière se souviendra toujours de cette année scolaire. Elle garde en mémoire le texte d'une déclamation, « Le livre doré », qu'elle a récitée devant Monsieur l'Inspecteur.

L'institutrice est sévère. Les principes moraux doivent être respectés. Un jour une fillette qui est malade se lève, elle pleure, elle est debout dans une petite mare... Un grand garçon éclate de rire et lance une farce, laquelle ne plaît pas à la maîtresse. Alors celle-ci force le garçon à nettoyer le plancher.

— Il ne faut jamais rire du malheur des autres.

*
* *

Au printemps 1925 une grande agitation anime la famille. Les plus âgés sont excités, ils se préparent à déménager. Depuis son arrivée dans le coin, André a remarqué que du haut de la colline, l'horizon s'ouvre sur toute la ville, contrairement à l'emplacement de l'étang. Le terrain appartient à son voisin, un célibataire, monsieur Magloire Brière.

Un jour André rencontre son voisin et lui demande à brûle pourpoint :

— Vous ne me vendriez pas votre propriété ?

— Ah ! non, vraiment je suis bien installé, je suis près de la ville pour vendre mon lait et tout va bien.

Quelque temps plus tard, Magloire aborde André en lui disant :

— Savez-vous, j'ai pensé à mon affaire, vous avez une famille, je prends de l'âge, si vous voulez toujours acheter, je peux vous vendre ma terre.

C'est ainsi qu'à la fin de l'hiver Dame Léona Comtois acquiert ce terrain, ce qui rapproche la famille de la ville. Il y existe une petite maison, peut-être 20 pieds sur 20, deux étages, on l'appellera la petite maison rouge. André vend la maison actuelle à Joseph Baillargeon, l'ancien propriétaire, qui la déménage sur une butte de l'autre côté de l'étang.

André planifiait son projet depuis l'automne précédent. Il avait mesuré le terrain pour l'emplacement d'une future maison et balisé l'endroit marquant la position de la construction. Tout l'hiver il a travaillé au plan de cette maison. Dès son retour du chantier il prend possession de la petite maison rouge à proximité de l'emplacement de la future maison où la famille s'entasse encore une fois.

Sitôt la terre dégelée, il creuse la cave et coule quatre piliers en ciment et complète les fondations de la maison en élevant un mur de pierres assujetties avec du mortier. La charpente s'élèvera à partir de solives déposées sur ce mur.

L'entrepreneur est fébrile, le travail de la ferme, le jardin, les semences, il s'engage à fond de train. Fini, le travail à la briqueterie.

Bientôt les matériaux de construction s'accumulent et on entend les coups de marteau dès sept heures. Trois ouvriers sont à la tâche. Rapidement, la surface du rez-de-chaussée apparaît. Un élargissement vers la droite de la partie arrière, prévu pour l'emplacement de la cuisine, permettra l'orientation des fenêtres vers l'avant de la maison.

— Je veux que ma femme puisse voir arriver le monde, déclare André.

Les deux aînées collaborent financièrement. Marie-Blanche, rendue à Montréal, est vendeuse au magasin Morgan, au salaire de quarante dollars par mois. Quelques mois plus tard elle entre à la compagnie Bell Téléphone, comme téléphoniste, elle a plus de chances d'avancement.

Pour Léona, cet été 1925 s'annonce également mouvementé. Elle est enceinte, à quarante-quatre ans, elle attend son neuvième enfant. Aussi la dernière lettre de Marie-Rose lui apprend que son frère Gilles sera ordonné prêtre le 5 juillet. Ce sera un grand événement pour la famille. La machine à coudre ronronne sans arrêt.

L'enfant arrive le 16 juin. C'est un garçon, blond et joufflu. Ce sera toujours le petit Robert, puisqu'il sera le dernier-né. Né le mardi, on attend au samedi pour permettre à l'oncle Pierre et à sa femme Annie de venir de Montréal pour la cérémonie du baptême.

La mère a tout juste le temps de se relever de ses couches, quand sonne l'heure de l'ordination. Dix jours, c'est peu, constate André. Heureusement, Marie-Blanche arrive pour deux semaines de vacances et seconde sa mère dans la préparation des vêtements pour toute la famille.

La cérémonie d'ordination, à la paroisse Saint-Thomas à Compton, se déroule en grandes pompes sous la présidence de l'évêque du diocèse Saint-Michel à Sherbrooke et la présence de nombreux prêtres et dignitaires ainsi que de la parenté.

À Moe's River, Trefflé a loué une immense tente devant la maison pour la réception d'une centaine d'invités. Le menu est raffiné et les tables dressées avec soin.

Marie-Blanche raconte que les nièces faisaient le service et qu'elle-même pouvait à peine se tenir debout. Toute la nuit elle avait travaillé à finir un bas d'aube en filet brodé, cadeau pour le nouvel ordonné.

Charlotte, qui aura bientôt sept ans, se souvient qu'elle s'était faufilée avec sa cousine Marie-Marthe, du même âge, à l'intérieur de la tente avant que les invités arrivent. Elles se promenaient toutes les deux autour des tables en pigeant ceci et cela, surtout des hors d'œuvre. Quand la mère de Marie-Marthe les découvre, elles sont vite confinées dans la grande chambre à coucher, où sont les plus jeunes.

À la maison, durant le mois de juillet, les enfants explorent les alentours. Souvent Benoît et Charlotte tournent autour de la construction. Ils se permettent de taquiner les ouvriers. Ils ont découvert que l'un d'eux se nomme Firmin, ce qui les amuse. Ils se cachent tous les deux derrière les piles de planches et crient sans se lasser : « Firmin, firmament. »

L'homme perd patience et lance un petit bloc de bois vers les deux maringouins. Le projectile atteint Charlotte au menton.

Au cri de douleur de son enfant, André entre dans une de ses colères et chasse le malheureux à coup de pieds au derrière.

— Vous autres, à la maison.

À l'automne, sur le toit de la maison, couvert de papier noir, André écrit avec du goudron « 26 octobre 1925 ». La maison n'est pas finie à l'intérieur, mais la famille, fatiguée d'être entassée dans la petite maison rouge, décide d'entrer dans la nouvelle demeure avant l'hiver.

Avec des moyens de fortune, petit à petit la maison prend vie et le piano résonne. Ce nouveau logis leur paraît immense. Pour la besogne, il faut aller chercher de l'eau à la pompe de la petite maison rouge, mais André a son plan. Le puits, qui alimentait la maison près de l'étang, donnait un bon rendement. Il installe donc une tuyauterie sous terre à partir de cet endroit jusqu'à la nouvelle demeure. Quelque quinze cents pieds, pour donner de l'eau courante à sa femme.

Avec le papier noir goudronné qui entoure la maison, le renchaussement de celle-ci complète l'aménagement extérieur avant l'hiver. On décide que les filles coucheront dans ce qui sera plus tard le salon pour profiter de la chaleur de la fournaise à air chaud dans le milieu de la maison. Les garçons atteignent la chambre au-dessus de la cuisine par une trappe qui ouvre le plafond en haut de l'escalier.

Bientôt, Léona est de nouveau la reine du foyer. André est parti pour son chantier, les enfants vont à l'école à pied, la distance est un peu moins longue. Marguerite, qui fait sa neuvième année, entraîne la petite Charlotte, qui la suit avec difficulté dans ce qui lui paraît être un long périple. Les garçons sont toujours à l'Académie des Frères du Sacré-Cœur.

8

Le laitier

PAR UN BEAU DIMANCHE DE JUILLET 1926, Marie-Blanche, arrive de Montréal pour ses vacances. La famille est transportée de joie. Les filles proposent à leur père un pique-nique chez l'oncle Trefflé. Ce dernier possède maintenant une terre à Waterville, après avoir vendu la ferme et l'érablière de Moe's River.

— C'est si beau sur les berges de la rivière, dit Délia.

Elle sait que la rivière Coaticook coule entre deux collines et marque la limite de la propriété, elle avait accompagné son père dans une randonnée d'affaires.

Les filles s'activent. Les victuailles sont vite emballées, du pain que leur mère a cuit la veille, un rôti de porc frais et des œufs. Après avoir largement fourni les provisions, maman décide de demeurer à la maison avec le bébé Robert, dont on a fêté le premier anniversaire en juin.

— Je vais en profiter pour me reposer.

Tout est prêt, les enfants montent dans la voiture en courant. Tout à coup on entend un cri. Marguerite s'est assise sur le gâteau au chocolat que Marie-Blanche avait déposé sur le siège arrière.

L'automobile est bondée.

— Une chance que maman ne vient pas, déclare Adrien avec sa franchise toute masculine.

Le voyage d'une quinzaine de milles s'effectue aussi rapidement que possible, à vingt-cinq milles à l'heure. Surtout sans crevaison, remarque Délia.

— Si vous voulez vous baigner, il faut le faire maintenant, avant de dîner. Sinon il faudra attendre trois heures après avoir mangé, dit leur père.

Les filles n'ont pas de maillot de bain, mais les garçons décident de se saucer en sous-vêtements. Ils sont trois, Rodolphe, le fils de tante Rose-Amande, issu d'un premier mariage, Adrien et Benoît qui se jettent à l'eau.

Un peu plus loin, Henri pleure. En courant, il est tombé et s'est écorché un genou. Sa jambe droite est bien petite, songe le papa en lavant la blessure avec son mouchoir et l'eau de la rivière. Les deux petites filles, Charlotte et Monique, ont faim. Délia leur prépare une tartine. André ramasse des petites branches sèches pour faire un feu afin de cuire des saucisses. Le cousin Rodolphe et Benoît sortent de l'eau. Rodolphe a l'air inquiet :

— Où la rivière tourne, il y a un remous et Adrien ne veut pas sortir, il est là-bas.

D'un regard, André évalue la situation et comprend le danger. Tout à coup Adrien lance un cri. Son père constate avec stupeur que l'eau a subitement atteint ses épaules. Le tourbillon du courant l'entraîne. Il regarde Marie-Blanche : « Vas-y ; les autres donnez-vous la main pour la donner à Blanche, faites une chaîne. » Lui-même, bien ancré sur le sol, retient la chaîne. L'aînée se glisse sous le fil barbelé, les autres à sa suite. Charlotte, elle a près de huit ans, vient donner la main à son père.

La tactique réussit. Bientôt, l'adolescent repose sur le gravier près du cours d'eau à demi suffoqué. Il a avalé de l'eau en se débattant, il tremble. Son père le frictionne énergiquement en ponctuant ses mouvements de conseils et d'avertissements.

Pour conclure, Rodolphe déclare que son oncle a posé la clôture parce qu'un jeune animal s'est noyé dans le remous. De son côté, Marie-Blanche constate que dans sa hâte, en se faufilant sous la clôture, elle a déchiré le dos de sa robe en joli fripé. Elle pense à sa robe de graduation.

Le repas se prend presque en silence et les jeux proposés sont oubliés. La joie est altérée. L'incident restera gravé dans les mémoires familiales.

*

* *

En cette même fin d'été André s'affaire, il a signé un important contrat de coupe de bois. La saison occupera une centaine d'hommes. Il est fier de son installation. Des dépendances de ce camp en bois rond s'élève, sous le soleil, la douce effervescence musquée du sapin québécois.

Un dimanche, alors que l'entreprise est en marche, André amène toute la famille au camp. En arrivant, il montre son « office » à Léona, un petit cabanon, son gîte. Il enlève le cadenas à la porte. La pièce est bien garnie, deux lits superposés, une table, munie d'une lampe à l'huile, et qu'accompagne un fauteuil capitaine. Une bûche de bois sert de siège supplémentaire. Il y a aussi un poêle à bois en fonte noire et des outils de bûcherons, surtout des manches de haches.

Dans un coin reposent une malle et un petit coffret en bois verni, fermé à clef. C'est la pharmacie, elle contient des cachets, du sirop pour le rhume, des pilules pour tous les maux, des onguents, des drogues et surtout des antiseptiques pour les hommes et les chevaux. Sur le mur une grande affiche indique : « Défense de blasphémer ». Les hommes sont mieux de ne pas jurer devant lui. À ce sujet il est intransigeant. Il les renvoie sans autre avis.

Les enfants courent un peu partout. Les bûcherons sont heureux d'avoir de la visite, ils ne travaillent pas le dimanche, ils lisent, jouent aux cartes ou aux dominos. Un jeune est en train d'écrire à sa blonde. Une grande pièce abrite des lits superposés, ils sont construits en bois de résineux. La paillasse consiste en des rameaux de sapins. Une couverture de laine grise complète ce nid, que chacun peut accommoder à sa guise. Souvent une photo de femme agrémente la tête du lit.

Dans l'unité de la cuisine, adjacente au dortoir, dont elle est séparée par un passage ouvert, la chaleur est bonne. D'un immense poêle à bois émanent des odeurs de ragoût et d'épices. Le *cook* qui y règne, régale les enfants de galettes à la mélasse. Au bout d'une des longues tables un tout jeune homme, le *cookie*, pèle des pommes de terre. Paraît-il qu'il en pèle deux seaux par jour. Le camp est établi près d'un ruisseau, qui assure la provision d'eau potable. En aval du courant un autre grand bâtiment abrite les chevaux.

Pour l'entrepreneur, il n'est pas facile de diriger tous ces bûcherons, qui ne sont pas tous de la Croix de Saint-Louis ! André parcourt le terrain pour surveiller et marquer les cordes de bois. Si le travail n'est pas bien fait et le bois bien aligné, parfois certains tentent de camoufler des trous dans la corde, les bûcherons perdent le crédit de leur travail. Il est sévère, mais juste. Il connaît son affaire.

Si la journée finit avec le coucher du soleil, elle débute avant l'aurore, aussi des fanaux sont accrochés ici et là. Chaque homme, parfois en équipe de deux, est responsable de sa production. Un soir, alors que les hommes reviennent au camp, une rumeur court que le nouveau, le grand Jack, veut battre le boss. Les hommes avertissent le patron. Au moment où l'agresseur s'approche, par en arrière, André saisit rapidement un morceau de bois et en tournoyant sur lui-même frappe l'assaillant et l'assomme. Ses compagnons le transportent sur son lit. Les hommes s'attroupent.

— Que s'est-il passé ?

— Le *boss* lui avait dit de refaire sa corde de bois qui était pleine de trous.

Le lendemain matin, André lui paie ce qu'il lui doit et lui ordonne de quitter le chantier.

Au printemps, la situation se gâte. Un dégel hâtif, au milieu de mars, rend les routes impraticables. Le « charroyage » du bois à l'orée de la forêt, commencé au début du mois, devient presque impossible. Il n'y a que les traîneaux que les chevaux tirent dans la boue, chargés de quelques billes, avec très peu de résultat.

Est-ce encore une fois la catastrophe ? songe André. En fin de semaine, dans la maison, il arpente de la cuisine à sa chambre à coucher et de sa chambre à coucher à la cuisine. Les enfants l'observent en silence, témoins de son désespoir. Il leur a souvent raconté la mésaventure de Saint-Raymond.

Le lundi matin, il se présente à la banque où l'attend l'échéance d'un billet promissoire. Il demande un délai. Il explique que la compagnie du moulin à papier paie le contrat selon le déroulement des opérations et que le retard causé par le dégel est fatal à l'entrepreneur. Il promet de louer des camions, mais en lui-même, il sait que les routes de boue empêchent les véhicules d'atteindre le terrain du chantier. Finalement, il obtient un délai et retourne au camp pour tenter de trouver une solution.

Le surlendemain, miracle ! le froid reprend, suivi d'une tempête de neige, et de nouveau la terre durcit. Les hommes s'attèlent à la tâche avec les chevaux. Ils travaillent presque jour et nuit pour sortir le bois de la forêt et reprendre le temps perdu. Les camions viennent à la moitié de la distance à parcourir pour charger le bois à livrer à la route principale. C'est une double besogne : en plus de tirer le bois avec les chevaux, il faut charger les camions et corder le bois à la livraison. Tous ces efforts sauvent finalement la situation.

À son retour, André paie une grand-messe en action de grâces. Il est fatigué et il se demande si ses forces physiques lui permettront de continuer cette exploitation. Il a quarante-quatre ans. Toutefois, l'heureux dénouement de l'entreprise stabilise la situation et lui permet de s'acheter une nouvelle jambe.

Depuis des mois il répare et répare sa prothèse, qui ne veut plus suivre. « Dorénavant, je superviserai les chantiers à cheval », se dit-il.

Au cours de l'été il achète une troisième vache. La petite étable est remplie à pleine capacité. « Ce n'est pas trop, ce sera un commencement », se dit-il, songeur. Il a un nouveau but en tête. Avant de repartir vers la forêt, il engage un homme pour s'occuper des travaux de la ferme. C'est un homme corpulent d'une quarantaine d'années, un nommé George Head, un Anglais d'Angleterre.

— Tu n'auras plus à travailler à l'extérieur et George devra porter le lait à la laiterie sur la Douzième avenue, déclare-t-il à sa femme, en ajoutant que les enfants apprendront l'anglais.

À quatorze ans, Adrien est parti à Trois-Rivières, au collège Séraphique, juvénat pour les futurs franciscains, qui offre le cours classique. Il n'a pas oublié sa promesse, faite à l'âge de cinq ans.

Marie-Blanche, à Montréal, suit les directives d'un père jésuite à la paroisse de l'Immaculée-Conception du plateau Mont-Royal. Elle apprend que le père Richard Van Dendeck œuvre dans le même établissement. Après avoir rencontré ce dernier, elle invite Adrien à venir à Montréal pour confirmer avec lui son choix de vocation.

Le père Richard était second cousin du grand-père Joseph Van Dendeck et Marie-Blanche avait recueilli quelques notes sur lui. Il était fervent liturgiste et avait mis le chant en usage à la portée des fidèles en préparant un missel noté pour les principales cérémonies.

Alors le jeune garçon prend le train et, à destination, sa sœur le conduit au père Richard.

— Je veux parler au garçon seul à seul, déclare le religieux.

Puis, il lui demande :

— Qu'est-ce que tu veux faire ?

— Je veux faire un franciscain, répète Adrien et il lui raconte l'histoire de l'almanach de Saint-François et sa fidèle résolution à devenir franciscain.

— C'est très bien, suit cet appel intérieur.

En riant il ajoute :

— Tu n'avais pas besoin de faire cent cinquante milles pour venir me dire ça.

— Mais j'ai un problème, rétorque Adrien. Au collège je crains de ne pas être admis, parce que le directeur a été changé dernièrement, et il avait accepté les nouveaux élèves pour l'année scolaire et quand le nouveau directeur est arrivé, à son tour il a accepté encore des élèves et il n'y a plus de place.

— Je vais te donner une lettre de recommandation très sérieuse et tu la présenteras au collège.

La lettre suscite un effet magique. Le garçon est admis sans difficultés. Adrien est convaincu que son acceptation à cette institution est due à cette épître, dont il ne connaît pas la teneur.

Au collège, le jeune garçon s'ennuie beaucoup, il écrit à sa maman lettre sur lettre demandant des nouvelles de la maison. Pour lui, la saison des Fêtes est particulièrement pénible puisqu'il n'y a pas de sortie pour les collégiens.

Pour Noël il a reçu un colis de friandises et pendant l'étude, dite libre, il se permet d'ouvrir la boîte à la dérobée. Il y a un petit paquet qui l'intrigue, il veut l'ouvrir. Tout à coup, paf ! Le pétard rompt drôlement le silence, et fait monter le rouge jusqu'à la racine des cheveux d'Adrien. Le professeur s'amène et sourit, il comprend que c'était un tour !

Le printemps suivant, Marie-Blanche décide d'aller constater par elle-même l'état moral et physique du jeune collégien. Lorsqu'Adrien, demandé au parloir, voit sa sœur, la surprise le bouleverse, il se demande si c'est une apparition. Il a la permission de sortir et tous les deux vont faire un tour en ville, surtout ils visitent le Sanctuaire Notre-Dame-du-Cap.

À la maison, Benoît a repris le rôle de charretier de son frère et conduit Délia à son école. Elle dirige une école de deux classes dans le village de Stoke, une petite localité à une dizaine de milles de la maison. Elle ne revient que pour les vacances des Fêtes et à ce moment elle déclare :

— Somme toute, l'enseignement est peu lucratif.

Elle raconte qu'au village elle s'est fait une amie, Irène, qui travaille dans un bureau d'avocat à la ville et qui gagne trois fois plus qu'elle. Cette constatation la pousse à prendre une décision.

À l'été, elle profite des vacances pour suivre un cours commercial de sténo-dactylo. Elle loue une machine à écrire et plonge dans cette étude à corps perdu et avise le conseil scolaire de Stoke de sa démission.

Dès l'automne elle entre au service de Me Rioux, grâce à la recommandation de son amie, comme deuxième secrétaire. Le patron, le plus grand criminaliste de la ville, est exigeant. Il ne faut pas le déranger. Après quelques mois, quand il décide de l'appeler pour dicter une lettre, Délia tremble. Elle n'ose pas le regarder et garde le nez dans ses notes.

Le soir à la maison, les enfants l'écoutent raconter ses émotions. Il est terrible, le patron. Quand il dicte un plaidoyer en mâchant son cigare, malheur à celle qui lui posera une question :

— Vous me faites perdre le fil de mes idées, dites à l'autre de venir.

Tout de même, Délia est tenace, elle profite de tous ses moments pour perfectionner son potentiel. Elle devient une dactylo d'une rapidité et d'une efficacité exceptionnelles. Un jour, le maître la félicite. Elle n'en croit pas ses oreilles.

*
* *

À l'été 1928 le service de l'électricité est répandu dans la ville. André se rend à l'hôtel de ville pour demander ce service. La réponse est négative :

— Vous comprenez, monsieur, vous êtes presque seul au bout de ce chemin.

Sans hésitation, André rétorque :

— Alors je vais monter une ligne moi-même. Est-ce que vous consentirez à me donner le service ?

Après avoir consulté ses supérieurs le commis répond par l'affirmative.

C'est le grand projet de l'été. Il achète des grands poteaux et les plante lui-même un par un en surveillant ses ouvriers. Entre-temps, il engage un électricien pour brancher la maison. Le service municipal accepte de poser une ligne et un compteur sur la maison. Dans la cuisine un long fil pend du plafond et se termine par une douille de lampe où est vissée une ampoule.

Un après-midi, André ouvre la porte de la cuisine en disant :

— Surveillez l'ampoule.

De dehors il crie :

— Est-ce qu'il y a de la lumière ?

La réponse n'est pas forte, ils sont tous là autour du fil, mais il ne se passe rien. Tout à coup, Marie-Blanche s'avance et tourne la clef sur la douille de la lampe et l'émerveillement se produit. La jeune fille avait souvent vu à Montréal ces ampoules suspendues et elle savait comment les activer.

Un dimanche les enfants profitent du beau temps, ils se balancent comme Tarzan, en grimpant dans de jeunes bouleaux, dans le petit bois de l'autre côté du chemin, en face de la maison. Ils montent presque jusqu'à la tête de l'arbre et en prenant leur élan ils font courber le tronc en douce vers le sol. Subitement la frêle Monique tombe, l'arbre s'est rompu et l'a projetée au sol. Elle pleure, elle est livide.

— Papa ! Monique s'est fait mal.

Un regard lui permet de constater que la jambe gauche est fracturée. Il place l'enfant sur le siège arrière de sa voiture avec un bout de planche à la jambe comme attelle. Il la conduit à l'hôpital. Au retour l'enfant porte un plâtre. André fabrique une chaise longue en utilisant un fauteuil auquel il ajoute deux bouts de planche pour soutenir les jambes. Léona garnit le siège d'un gros oreiller et de la couverture préférée de Monique.

— Charlotte, il faut que tu prennes soin de ta petite sœur maintenant. Tu dois lui apporter des choses et jouer avec elle, lui dit sa mère. La fillette est fidèle à répondre à ce devoir, mais elle soupire souvent, les quarante jours sont bien longs.

En cette fin d'été 1928, Marie-Blanche assiste à cet événement. Elle avait surpris la famille en annonçant qu'elle viendrait passer le mois d'août à la maison. Sur réception de la lettre, la nouvelle avait créé des remous et rendu ses parents perplexes.

— Elle est peut-être malade, dit Léona.

— Je ne pense pas, réplique son mari, elle aurait dit quelque chose dans ses lettres.

Tel que convenu, André va la cueillir à la gare. Elle arrive, rayonnante de santé, elle porte une jolie toilette en crêpe marron, qui fait ressortir sa belle chevelure châtain. Elle ne dit rien de spécial, mais son père lui trouve un petit air sérieux, pour ne pas dire mystérieux. Elle donne des nouvelles de la parenté à Montréal.

Ce n'est que le soir, quand les enfants sont couchés, qu'elle répond à leurs regards inquisiteurs.

— Si vous me donnez la permission, papa, je veux entrer au couvent.

— Es-tu sérieuse? s'exclame son père, abasourdi par cette déclaration.

La jeune fille hésite.

— Oui, j'ai déjà demandé ma place.

André se lève et s'en va dans sa chambre, il ne dit rien.

— C'est une triste nouvelle que tu nous annonces là, mais si tu es sûre d'avoir la vocation... lui dit sa mère.

Les deux femmes parlent pendant une partie de la nuit. La jeune fille raconte son cheminement depuis plus d'un an.

Pour son père, c'est une bombe. Le lendemain il est silencieux, il vaque à sa besogne avec encore plus d'acharnement. Il avait fait d'autres rêves pour sa fille, tant aimée, elle qu'il a toujours tellement appréciée et admirée. Une lutte intérieure s'engage, mais au bout d'une semaine il rompt ce silence et, en bon chrétien, il lui donne sa bénédiction.

— Vas-tu rejoindre tes tantes ?

— Non, c'est une nouvelle communauté, qui se consacre surtout au service social. C'est une toute jeune communauté, fondée en 1923. La Mère générale m'attend le 1er septembre. Pour le moment, ici, je vais préparer mon trousseau.

Arrivée à Montréal, son oncle Ernest l'attend à la gare et l'amène chez lui où sa tante Bernadette l'accueille chaleureusement, non sans être surprise par sa décision. Marie-Blanche refuse de coucher chez eux : elle préfère se rendre au couvent dès ce soir-là, pour « prendre le petit voile » le lendemain matin, en même temps qu'une compagne qu'elle a déjà rencontrée. À neuf heures du soir, la porte vers une nouvelle vie se referme sur elle.

*

* *

À la maison, depuis longtemps, tous les jours la poste rurale apporte le journal *La Tribune* et, à chaque printemps, un représentant de ce journal vient percevoir le prix de l'abonnement.

En arrivant, il étale sur la table des objets, pieux pour la plupart. Il offre crucifix, statues de la Vierge, images, livres de prières et autres en prime à l'abonnement. Les enfants se groupent autour de la table et écoutent avec enchantement le boniment du beau parleur et tentent d'influencer leur mère dans son choix. Ils garderont toujours le souvenir de ce petit événement annuel.

Le printemps 1929 marque un grand pas dans l'histoire de l'automobile. C'est l'avènement de la coque rigide, adieu le toit en toile flexile et rétractable. Délia fait l'acquisition de cette nouveauté et délaisse les bons services de la jument Fan, qu'elle laissait aux charretiers près de son bureau. La voiture neuve, de marque Ford, impressionne grandement la maisonnée avec ses vitres tout le tour. Elle procure un confort inestimable, jusqu'alors inconnu.

André lui donne des cours de conduite et une avalanche de conseils :

— Souviens-toi, tu as des freins, c'est pour t'en servir.

Marguerite pose fièrement devant la Ford 1929

Un dimanche soir d'automne, André et toute la famille se délassent. André est en vêtements de travail et des gros chaussons aux pieds. Il entend une voiture arriver, puis une autre, puis une autre. Qu'est-ce qui se passe, ce n'est pas la fête des filles ? La visite commence à entrer, des parents, des amis, une quarantaine de personnes, qui offrent des félicitations à Léona et André. La surprise les saisit. Il faut leur expliquer que la réunion célèbre leurs noces d'argent, vingt-cinq ans !

Le programme de la soirée, concocté par Délia en secret, se déroule harmonieusement. Elle a composé une adresse, dont Charlotte exécute la lecture, après un entraînement de plusieurs semaines. Monique présente une corbeille de vingt-cinq roses, ornée d'un large ruban agrémenté de petites roses peintes à la main. Ce ruban représente la collaboration de Marie-Blanche, qui ne peut assister à la fête, retenue par le règlement du noviciat, de même qu'Adrien accroché à la sévérité de son collège.

La fête continue avec l'offrande d'un grand plateau qui contient un plateau plus petit et un service à thé, le tout en argent solide. Les invités ont apporté des sandwiches et un immense gâteau. Quand André se lève pour remercier, il bredouille d'émotion.

Un peu plus tard, un matin, Léona aborde André :

— Je suis inquiète... depuis quelque temps Marguerite se dit fatiguée. Ses frères la traitent de paresseuse, c'est vrai qu'elle n'a pas d'entrain. Je trouve qu'elle a mauvaise mine. Tu remarqueras qu'elle tousse.

— Bon, tu ne penses pas qu'elle pourrait souffrir de tuberculose ?

Après un lourd silence Léona répond :

— Il y a tellement de jeunes filles qui en souffrent.

Le lendemain, il l'emmène chez le médecin qui la fait hospitaliser. Le verdict tombe : « Granulie galopante. » C'est les larmes aux yeux qu'il apporte la nouvelle à sa femme.

Il faut faire examiner tous les enfants. Heureusement, ils sont épargnés pour le moment. On s'interroge alors sur la cause de cette maladie. Un examen vétérinaire révèle qu'une des trois vaches est atteinte de tuberculose. Il faut l'abattre.

Marguerite a maintenant dix-neuf ans, c'est une brunette aux yeux noirs. Le médecin parle de sanatorium, mais André s'y oppose.

— Je veux la garder à la maison.

Le docteur Pierre de Montréal est consulté et s'amène à Sherbrooke.

— Oui, gardez-la, la maison est grande, il faut l'isoler et la soigner.

On installe un lit dans la salle à manger. Premièrement, il est strictement défendu aux plus jeunes d'aller près de la malade. Le médecin prescrit le repos complet, mais elle a la permission d'aller aux toilettes. La maison devient un sanctuaire, il ne faut pas crier ni faire de vacarme.

« Allez jouer dehors », leur répète leur mère, toute à son rôle d'infirmière. Des repas copieux, avait dit le docteur, même du chocolat. Après le repas elle ébouillante la vaisselle de la malade. En plus des médicaments et des sirops que cette dernière doit ingurgiter à des heures régulières, Léona applique à toutes les quinzaines une « mouche de moutarde », sorte d'emplâtre, tout autour du thorax de la malade, pour indirectement atteindre les poumons. Elle prend sa température tous les après-midi à quatre heures.

Quand enfin, au bout de plusieurs mois, la fièvre a disparu, André amène sa fille au dispensaire antituberculeux. L'examen montre que l'infection a disparu et que les poumons sont en voie de guérison. Mais la convalescence sera encore longue. Marguerite prend de l'embonpoint, et ses frères et sœurs peuvent l'approcher. On crie au miracle. Elle aura vingt ans en novembre.

À l'automne de cette même année, André signe encore un contrat en forêt à Sawyerville, du travail pour cent vingt-cinq hommes. Il achète un tracteur pour tirer le bois dès le mois d'octobre. Le travail s'effectue jour et nuit. Il engage un gérant, M. Parenteau, pour le travail nocturne. Au bout de quelque temps le tracteur refuse de démarrer. André examine la machine et constate qu'il n'a pas ce qu'il faut pour la réparer.

Il appelle à Montréal, à la compagnie Caterpillar, leur demandant d'envoyer un mécanicien avec une pièce de rechange, un magnéto. On lui répond :

— Ça ne se peut pas que le magnéto soit défectueux.

Le mécanicien s'amène, il examine « le malade » et déclare qu'il ne peut pas le réparer. Il téléphone à Montréal en demandant un magnéto, génératrice de courant électrique. La machine est alors réparée gratuitement, selon la garantie. André jubile…

Au printemps, sortir le bois de la forêt représente toujours une entreprise hasardeuse. Un jour, alors que la saison s'achève, pour aider au déchargement il décide d'amener deux hommes de plus. Il part avec les deux hommes. Le chemin est étroit et peu sécuritaire et les ravins sont nombreux. Tout à coup, la roue dérape dans une ornière et le camion bascule. Un tour, deux tours, trois tours et s'arrête. Personne n'a bougé. Un chicot a traversé le pare-brise entre André et son passager.

— Comment ça va les gars ? demande le conducteur.

Une longue minute s'écoule avant qu'un son lui parvienne, mais un faible « ça va » surgit. Ils sont bien en vie tous les trois. Petit à petit, ils s'extirpent de la cabine, rien de cassé, ils n'ont que des blessures légères. Les pluies des derniers temps avaient miné le bord du chemin. Les passants qui voient le camion dans le fond du précipice se demandent combien il y a de morts. André remercie le Seigneur de la grande protection qui lui a été accordée.

De son côté, Délia fait la belle vie, elle aide son père financièrement, se toilette, elle a des amis et le dimanche elle fait de petits voyages avec sa nouvelle voiture. Elle a même un cavalier. Ses parents la jugent un peu légère, mais ils ne savent pas qu'au fond, une grande ardeur l'habite.

Elle avouera plus tard qu'elle a promis d'entrer au couvent pour obtenir la guérison de sa sœur Marguerite, en ajoutant que la vocation religieuse germe dans son esprit depuis ses premières prières sur les genoux de sa mère : « Mon Dieu je vous donne mon cœur… » Mais elle a mal entendu et dit : « Mon Dieu je boutonne mon cœur » ! Elle a grandi en ressentant un engagement.

Aujourd'hui, son vœu est exaucé et, effectivement, à l'été 1932, elle quitte la vie séculière. Elle choisit la même communauté de religieuses enseignantes que ses tantes.

Ce départ représente pour André la perte d'une importante contribution financière. Aussi, depuis le grand dégel de mars, il entreprend ses nouveaux contrats de chantiers forestiers avec une certaine appréhension. Même s'il utilise un cheval pour les longues distances, il doit marcher dans le bois et sa jambe le fait souffrir. Il sent ses forces et son intérêt pour les chantiers décroître.

À l'été 1931, pour la deuxième fois de sa vie, il entreprend la construction d'une grange dans le but d'exploiter une ferme laitière. Les fondations en ciment du bâtiment, vingt-cinq pieds sur quarante, pourront abriter une vingtaine de bovins. Un toit français, en tôle galvanisée, finit la construction. Le bâtiment accompagne la petite maison rouge, qui devient le poulailler.

Au début de décembre de cette même année, Léona reçoit une lettre de Marie-Rose, qui lui apprend que son père, qui a 82 ans, a pris froid et que le médecin craint des complications. Aussi, elle n'est pas surprise quand le 20 décembre elle reçoit un télégramme: « Père décédé hier. »

De la ville, Délia téléphone à Compton, où ses tantes exploitent la centrale téléphonique du village, pour apprendre que les funérailles de Louis Comtois auront lieu le mardi suivant, 22 décembre, à neuf heures. André déclare:

— Il faut absolument qu'Adrien soit présent à la cérémonie, je vais aller le chercher au collège.

Il part avec la voiture de Délia avec Charlotte et Monique. Il se rend à Sainte-Angèle, en face de Trois-Rivières, d'où il téléphone au collège. Il explique au bon père franciscain l'importance qu'Adrien, petit-fils aîné de Louis, dont on lui a donné le nom au baptême, assiste aux funérailles.

— Je suis à Sainte-Angèle et je l'attends.

Au collège, Adrien entend avec surprise le directeur lui dire:

— Votre grand-père est décédé et votre père vous attend à Sainte-Angèle, prenez le traversier. Ne dites pas aux autres garçons que vous partez, c'est un secret.

À Compton, le mardi, le cortège quitte la maison au beau temps. Ce sont les hommes de la famille qui conduisent le deuil: ses deux fils l'abbé Gilles et Trefflé Comtois, son frère Gaspard Comtois de Montréal; ses petits-fils James Corcoran (Floriane), Louis-Adrien et Benoît Van Dendeck (Léona), Roch-Henri et Louis-Pierre Comtois (Trefflé) et Rodolphe Hébert ainsi que son gendre André Van Dendeck.

Ensuite dans les voitures suivent ses filles Floriane, Léona, Marie-Rose et Thérèse, religieuse sous le nom de sœur Thomas du Saint-

Sacrement, et ses compagnes d'East-Angus, ainsi que sa belle-fille, Rose-Amande Couture, ses petites-filles Véronica Corcoran, sœur Marie-Blanche Van Dendeck et ses compagnes de Saint-Jérôme, Marie-Marthe et Françoise Comtois.

L'affluence des parents et amis comble la petite église de la paroisse Saint-Thomas d'Aquin. La messe se déroule en grande pompe, alors que l'officiant, le curé de la paroisse, est accompagné d'un diacre et d'un sous-diacre, et qu'une quinzaine de prêtres les accompagnent dans le chœur. Tandis qu'à l'autel latéral, son fils, l'abbé Gilles, célèbre le Saint Office.

Au prône, le célébrant rappelle aux assistants que la même cérémonie eut lieu au printemps dernier, à l'occasion du décès de l'épouse de Louis, Rosana Mercure, le samedi 28 février. Elle était alors âgée de soixante-quinze ans.

Plus tard, vers 1953, la coquette petite église en bois, plus que centenaire, fut démolie, au grand désespoir des vieux paroissiens. À ce moment, une grande église à l'architecture moderne, finie en brique et à l'épreuve du feu, s'élève sur un emplacement élevé le long de la rue principale.

Pour Adrien, le triste événement se transforme en petit bonheur. Il ne reste que deux jours avant Noël et Adrien réalise pour sa plus grande joie qu'il passera la fête avec sa famille. Il est bien entendu qu'il partira pour le collège, dès le lendemain.

À l'automne suivant, André se rend au bureau de la Brompton Pulp pour signer un nouveau contrat. Il apprend avec stupeur que la coupe de bois où il travaillait vient d'être vendue à une autre compagnie. De retour à la maison, il déclare :

— Je comptais effectuer un autre contrat, peut-être moins important, pour m'aider à finir de payer la grange. Dans cette compagnie, ils ne me connaissent pas et ils ont leurs hommes. Je n'ai qu'une chose à faire, c'est de dire définitivement adieu aux chantiers en forêt.

Il liquide tout son équipement et c'est le retour à la terre. Il augmente son troupeau. Fort d'un permis de la Ville, il veut une organisation réglementaire et de grande qualité pour distribuer du lait à domicile. Bientôt les vaches laitières de la ferme Belmont sont des Ayershires pur-sang.

Le voilà bientôt laitier à Sherbrooke. Tous les matins il fait le tour de sa clientèle. Des amis de toujours, des parents éloignés forment un noyau de départ, qui augmente peu à peu avec la qualité du service. Un lait à 5% de matières grasses !

Le vétérinaire légiste du comté vient examiner le troupeau tous les mois et il prend des échantillons de lait, parfois à l'improviste dans la laiterie et dans les bouteilles. Si le test n'est pas parfait, il est menacé de perdre son permis.

Il faut être vigilant, et installer l'eau courante dans la laiterie, petite bâtisse en ciment tout près de l'étable, pour tout laver et désinfecter. La centrifugeuse brille au soleil après le ménage. La toilette des vaches revêt aussi une grande importance. Il faut prendre mille et une précautions pour obtenir la cote « A » pour le lait. C'est la guerre aux bactéries.

Après un certain temps, André s'aperçoit qu'il a perdu un grand nombre de bouteilles. Elles vieillissent, le verre jaunit ou elles se cassent.

D'autre part, la Sherbrooke Pure Milk, qui a le monopole de la distribution du lait dans la ville, refuse de rendre aux « petits » laitiers les bouteilles sans nom qu'elle recueille. Quand les divers laitiers vont à la Sherbrooke Pure Milk pour lui rendre ses bouteilles, la laiterie refuse de leur remettre des bouteilles sans nom en échange. Alors l'achat de bouteilles se renouvelle constamment.

Il a alors recours à l'Union catholique des cultivateurs, dont il est devenu membre, où l'on parle souvent de regroupement. Dans son périple matinal à travers la ville, il rencontre d'autres laitiers et tous reconnaissent le problème des bouteilles de verre. Sous la présidence d'André, ils forment une association pour l'achat en gros de bouteilles à lait, pintes, chopines et demiard.

Au lieu d'acheter du marchand local, les laitiers commandent un wagon de bouteilles de la Consumers Glass à Montréal, au nom de l'association, « Association des Laitiers de Sherbrooke Milk Producers » à un prix près de 50% inférieur. Le bouchon en carton sur la bouteille indique le nom du laitier.

Dans les villes, avec la fin de la guerre, l'effervescence des usines « de guerre » s'est peu à peu calmée. Les usines ont fermé définitivement, les propriétaires ne trouvant pas une nouvelle application à ces installations. Les ouvriers sont laissés à eux-mêmes, ce qui engendre du chômage chez une population habituée à recevoir un salaire hebdomadaire.

Peu à peu, depuis 1929 se développe une grande crise économique, qui fait des ravages et jette de plus en plus de gens dans la misère. Tous sont plus ou moins affectés. Les gouvernements organisent des « soupes populaires ». Les démunis, dont le nombre grandit constamment, font la queue devant ces services, femmes, hommes, ouvriers, même professionnels, ils sont là. André revient à la maison après avoir côtoyé cette détresse durant toute la matinée, il en ressent une grande tristesse.

— Une famille de trois petits enfants, dit-il, qui n'auront qu'une chopine de lait pour la journée…

Quand il a fini sa tournée et qu'il lui reste une bouteille ou deux, il retourne les porter à ces familles. Il fait crédit mais parfois les clients disparaissent et il perd cet argent.

Durant cette période les cultivateurs réussissent à maintenir une vie décente pour leur famille, mais les sous sont précieux. Le prix du lait est de 5¢ la pinte.

Ce n'est pas un métier sans soucis. Au printemps plusieurs vaches doivent vêler. André y voit toujours un moment difficile à passer. Sans crier gare une bête est malade. André craint la fièvre aphteuse, maladie contagieuse qui frappe surtout au moment de la mise bas.

Le vétérinaire mandé d'urgence confirme la maladie et prescrit un nouveau médicament auquel il a confiance. Il faut attendre 48 heures. Deux jours plus tard, le matin, quand le maître de céans se présente, la vache est debout. Elle est mieux. Il faut redoubler de précautions de crainte que le mal ne se propage aux autres bêtes.

*

* *

Léona n'ira pas à Compton cette année pour le jour de l'An, mais selon son habitude André prend le train pour Montréal pour souhaiter la bonne année 1932 à sa mère. Il en revient inquiet de la santé de cette dernière.

— Elle est beaucoup affaiblie, elle ne mange qu'un soupçon de nourriture, dit-il à Léona.

Il ne sait pas qu'il l'a vue vivante pour la dernière fois. À la maison, le docteur Pierre tente par tous les moyens de la sauver mais après l'avoir veillée toute la nuit, elle s'éteint au matin du 21 février, à l'âge de quatre-vingt-six ans et six mois. Elle est exposée à sa demeure rue Jeanne-Mance.

Les funérailles sont célébrées à la chapelle de l'Hôtel-Dieu où ses filles religieuses lui consacrent toutes leurs prières. Après quoi la dépouille mortelle est transportée à Belœil pour être inhumée au cimetière familial où se trouve son mari, Joseph.

À son retour à la maison, André en a long à dire à Léona et il est amer.

— Tous mes frères étaient là avec Laura, dit-il. Après les funérailles, Pierre a lu le testament, maman donnait la maison à Laura et la ferme de Coaticook à Noël et elle demandait de partager le reste entre tous les enfants. Imagine-toi donc que Pierre a déclaré qu'il soustrairait cent dollars de ma part, pour rembourser le prêt que maman m'avait fait pour l'achat de ma première jambe artificielle. Je suis celui qui a la plus grosse famille et je suis infirme.

Les yeux pleins d'eau, il a la nausée.

En septembre 1932, Benoît qui vient d'avoir seize ans, a terminé le cours à l'Académie des garçons et il entre au pensionnat des Frères du Sacré-Cœur à Victoriaville, un collège commercial. Par considération pour le frère Aldric et par sympathie pour l'infirmité de son frère André, la communauté des Frères reçoit le garçon gratuitement. Le jeune garçon qui entend parler de mécanique depuis toujours se spécialise dans cette discipline.

Dès son retour, il obtient un emploi dans l'un des plus gros garages de la ville, General Motors, comme mécanicien. Le gérant de l'entreprise lui demande de faire un stage à l'école technique de Montréal pour connaître les secrets de la mécanique automobile, surtout la transmission, qui devient de plus en plus compliquée. Métier qu'il exercera jusqu'à la fin de sa courte vie.

Un jour, un propriétaire de camion fait tirer son véhicule dans le garage où travaille Benoît:

— J'ai fait tous les garages, dit-il. Personne ne trouve le trouble.

Benoît lève le capot et commence une inspection détaillée. Quand il s'arrête, c'est pour dire : « J'ai trouvé le problème. » Le soir, son père apprend avec plaisir cette petite anecdote.

En 1933 André a cinquante ans, le salaire de Délia lui fait défaut, il y a déjà un an qu'elle est partie. Il travaille à augmenter son troupeau et sa clientèle. Toutefois, il continue à développer son sens social. Depuis le mois d'octobre précédent il est secrétaire-trésorier de l'Union catholique des cultivateurs, après un vote unanime des membres de l'Union diocésaine de Sherbrooke.

Le congrès diocésain du 27 septembre 1933 se déroule à la salle paroissiale Saint-Jean-Baptiste et lui permet de mettre son talent à l'épreuve. De retour à la maison avec ses notes, il présente une requête à Léona :

— Sais-tu, tu as une meilleure écriture que moi et tu ne fais pas de fautes de français, je pense que tu devrais écrire le procès-verbal dans le registre.

Il dicte ses notes, tandis que sa femme fait un brouillon du texte pour lui permettre une certaine vérification. Un texte de plus de quatre pages où il mentionne que l'Union compte 48 cercles en règle avec 1257 membres en 1933 comparé à 758 membres en 1924, année de la fondation.

D'année en années, l'état de santé de Henri reste précaire ; avec la puberté, il semble même se détériorer. L'enfant demeure un souci constant pour son père.

Un jour que ce dernier jase de choses et d'autres avec un voisin, celui-ci lui raconte :

— Mon frère était tombé de cheval, il boitillait depuis un an. Il a subi des traitements d'un chiropraticien et aujourd'hui il marche normalement.

Cette petite histoire suscite une interrogation dans l'esprit d'André. Quelque temps après, en revenant de sa tournée en ville, André déclare :

— Sais-tu, Léona, j'ai parmi mes clients un type qui a un bureau de chiropraticien. Je lui ai parlé de Henri et il m'a dit : « Amenez-le moi, je vais voir ce que je peux faire. »

Le même après-midi, le chiro promet qu'il peut aider l'enfant.

— Il faut l'amener régulièrement pour les traitements, au début ce sera tous les jours. Ne l'envoyez pas à l'école, il faut qu'il se repose.

Cinq jours par semaine André laisse Henri au bureau du spécialiste avant d'effectuer sa tournée. Petit à petit l'enfant devient moins nerveux. Après le dîner il s'endort sur un divan. Bientôt l'amélioration se manifeste, peu à peu les forces reviennent et l'enfant se développe et finit par grandir.

En l'espace de six mois son poids augmente de quarante livres. Les membres de son côté droit ne seront jamais parfaits, mais il deviendra un homme de six pieds avec une qualité de vie légèrement diminuée, mais presque normale.

Après avoir terminé la neuvième année chez les Frères, il suit les cours de l'école technique à Sherbrooke pour étudier divers métiers, dont ceux de machiniste et de plombier.

Henri seconde son père sur la ferme, il ne peut traire les vaches, mais son bras gauche devient de plus en plus fort. Le soir, il s'occupe d'aller chercher les vaches pour la traite et de les faire rentrer dans l'étable. Une grande rousse, dite Rosine, lui joue des tours, elle ne veut pas entrer. Elle le regarde et secoue la clôture avec ses cornes.

Un soir elle passe la barrière, les autres vaches à sa suite, à la course vers le grand chemin. Le troupeau n'est maîtrisé qu'un demi-mille plus loin, aux abords de la ville avec l'aide de plusieurs passants. Après un moment de colère, son père et lui finissent par en rire.

Quand, quelques années plus tard, André achète une terre du côté d'Ascot, les animaux y sont transférés pour l'été et Rosine fait des siennes. Le chemin de fer longe le pacage et Rosine, avec ses cornes, réussit à ouvrir la barrière pour aller déguster la tendre herbe verte le long de la voie ferrée, mettant en péril tout le troupeau. Le soir, quand les hommes arrivent, le troupeau vagabonde. Après quelques répétitions de l'exploit de la bête, André installe un sac de jute sur les cornes de Rosine, de façon à l'aveugler quand elle relève la tête. Alors c'est la pagaille, les autres bêtes piquent Rosine. Il faut enlever le bandeau mais la fanfaronne devient plus sage.

Depuis quelque temps, Charlotte, une adolescente de quatorze ans, souffre d'un rhume, elle tousse. Elle ne veut pas manquer la classe. Elle mise sur le prix d'assiduité parfaite à la fin de l'année, comme d'habitude. « Les fêtes approchent, je me reposerai », se dit-elle. Les vacances passent, mais son état ne s'améliore pas. Un soir sa mère prend sa température, elle est fiévreuse. André dispute :

— Si ç'a du bon sang d'aller à l'école malade comme ça !

Dès le lendemain il amène sa fille au dispensaire antituberculeux. Il revient avec une mauvaise nouvelle. Sa fille souffre d'une pleurésie sèche avec épanchement causé par une petite lésion qui s'est développée dans le haut du lobe du poumon droit. Un jour, la maman découvre avec anxiété des traces rosées dans son mouchoir.

Le scénario du lit dans la salle à manger se renouvelle, mais avec le repos et les bons soins l'adolescente reprend vite une meilleure allure. Quand arrive le mois de juin, l'année scolaire se termine sans elle, mais elle est guérie.

La maisonnée gravite autour d'André, une certaine quiétude rassure ce père. Les jeunes ont leur vie personnelle. Les garçons taquinent les filles et les amours des adolescents donnent lieu à des remarques parfois mystérieuses, dont leur père ignore l'importance.

Un soir, Benoît dit à son père :

— Monsieur et madame Lalonde vont venir vous voir ce soir. Ils viendront à neuf heures.

Sans laisser le temps à son père de poser des questions, il s'efface et prend la porte. Ce sont les parents d'une famille de garçons et filles que fréquentent les garçons, dont l'un a travaillé avec André sur la ferme.

Une hantise s'empare du chef de famille.

— Les filles, vous monterez à vos chambres, nous attendons quelqu'un ce soir.

Les parents se présentent, tel que convenu. Sans détour, ils annoncent que leur fille qui vient d'avoir seize ans est enceinte de quatre mois et que Benoît en est le père.

— Vous êtes certains ?

La discussion est longue. André fait remarquer qu'ils sont bien jeunes et que les forcer à se marier serait les condamner à une vie de misère. Benoît n'est pas prêt à prendre de telles responsabilités.

— Notre fille est déshonorée. Nous allons l'envoyer chez une de ses tantes à Montréal et elle ira à la Miséricorde. Vous êtes responsable et vous devrez payer les frais.

Après leur départ, André dit à sa femme :

— Je voudrais pouvoir effacer cela de ma vie. Qu'est-ce que j'ai fait de mal, est-ce que c'est de ma faute ?

*
* *

Au Québec, le Parti libéral dirige les destinées de la province depuis quarante ans. Le gouvernement de Louis-Alexandre Taschereau baigne dans le scandale. En 1934 des jeunes militants au sein de l'Action libérale nationale, dont Paul Gouin est le chef, élaborent un programme qui reprend bon nombre des idées du Programme de restauration sociale, établi antérieurement.

Maurice Duplessis, qui succède à Camillien Houde à la tête du Parti conservateur, se met d'accord avec Gouin de l'ALN pour faire la lutte au gouvernement Taschereau lors des élections du 25 novembre 1935.

André est un conservateur-né. Cette campagne électorale stimule son enthousiasme : depuis si longtemps que le Parti conservateur est dans l'opposition, il faut que ça change. Il ne peut s'empêcher de faire de la cabale chez ses clients.

Charlotte, qui avait dix-sept ans à ce moment, se souvient de cette campagne électorale et des moyens exceptionnels qu'utilisait le parti de Gouin et Duplessis pour arriver à ses fins. Entre autres « le catéchisme des électeurs » : questions et réponses démontrant les manigances du Parti libéral, ainsi que des chansons vantant les qualités des deux nouveaux prétendants, dont l'une finit par « Il est tout neuf comme un poupon naissant » !

Le 14 novembre, une assemblée monstre est attendue au manège militaire. L'événement est transmis par la radio. Toute la veillée est consacrée au reportage ininterrompu. Des gens ont été attaqués en se rendant au manège. Il y a des feux d'artifices. La clameur dure dix minutes quand Paul Gouin s'approche du micro.

Il est prévu que s'ils remportent la victoire, Duplessis sera premier ministre et Gouin choisira la majorité des ministres. Les suffrages donnent 48 députés aux libéraux ; 26 à l'Alliance libérale nationale et 16 aux conservateurs.

Au cours de la session qui suit, Duplessis pourfend Taschereau et ses ministres devant le Comité des comptes publics. Le 11 juin 1936, Taschereau donne sa démission et Adélard Godbout lui succède.

Des élections sont fixées au 15 août. Duplessis annonce alors que la majorité des députés de l'opposition forment désormais un nouveau parti, l'Union nationale, dont il est le chef. Il remporte la victoire avec 76 des 90 sièges de l'Assemblée législative.

André se montre toujours très actif au sein de l'UCC. Il fait de la propagande pour recruter de nouveaux membres et c'est avec satisfaction qu'il dépose l'argent recueilli à la Banque Nationale.

Les 16 et 17 octobre 1935 un congrès général s'organise à Montréal. Le thème de cette rencontre: les élections provinciales. Quatre membres de l'Union diocésaine de Sherbrooke, dont André, sont délégués. Le procès-verbal rapporte toutes les recommandations et décisions de l'assemblée.

Le compte-rendu compte six pages et comprend même une remarque de l'homélie de Mgr Deguire, s.j., aumônier général de l'UCC: « Lorsque vous serez soixante-quinze mille membres, vous serez assez forts pour aider nos gouvernants à faire leur devoir », dit-il. D'autre part, il attire l'attention sur les monopoles, qui nous écrasent et tentent de nous arracher nos produits, le meilleur marché. « Ce que nous voulons c'est l'équilibre, c'est la justice. Nous devons être unis pour ne pas nous laisser écraser. »

À son retour, André aborde l'aumônier diocésain, l'abbé Malouff:

— Au congrès à Montréal il fut suggéré que les secrétaires diocésains et propagandistes reçoivent un salaire. La tâche devient de plus en plus lourde.

— On verra, répond l'aumônier.

André maintien son rythme, le procès-verbal du congrès du 28 septembre 1936 mentionne que la population catholique du diocèse compte 119 000 Canadiens français, soit 21 000 familles.

À la suite de ce congrès le secrétaire aborde de nouveau l'aumônier:

— Il y a un an, je vous ai mentionné que je considère que je devrais recevoir un dédommagement pour mes services, ça me paraît juste et raisonnable.

D'un air ennuyé, l'aumônier rétorque:

— Monsieur, si vous n'êtes pas satisfait, vous n'avez qu'à démissionner.

De retour à la maison, André est dans un état à la fois de stupéfaction, de colère et d'humiliation. Il ne comprend pas très bien l'attitude de l'aumônier.

— Je n'ai pas le choix, je vais démissionner.

Une assemblée extraordinaire du bureau de direction se tient le 26 novembre 1937. Le président déclare que l'abbé Brault sera dorénavant secrétaire. André remet les livres, le carnet de reçus et autres documents en démontrant que tout est en parfait ordre.

L'année suivante, le procès-verbal du congrès du 29 octobre 1938 rapporte que les membres demanderont au gouvernement l'enseignement scolaire obligatoire jusqu'à quatorze ans. Au dernier paragraphe on peut lire : « L'abbé Brault est choisi comme secrétaire et un salaire de vingt-cinq dollars lui est voté pour la prochaine année. »

Quand André apprend cette décision par l'entremise d'un de ses amis, la neige a déjà eu le temps de refroidir son ressentiment, il passe vite l'éponge. Il se console en estimant sa situation actuelle : Marguerite et Charlotte travaillent dans des bureaux, son entreprise progresse et répond à ses attentes. Un jour au retour de sa tournée, tenant à la main un parchemin, il déclare à Léona :

— J'ai rencontré l'agronome et il m'a remis le pedigree de mon taureau « le Magnifique ». C'est une bête Ayrshire pur-sang. Sa généalogie démontre les capacités de reproduction de ses ancêtres. Finie la course avec les vaches attachées en arrière de la voiture.

Il revit le moment où, au début de mai 1937, Charlotte revient de Montréal après une année au collège Holy Names Business. C'est la maison d'enseignement supérieur où œuvre Délia, sous le nom de sœur Simon de Jésus. Elle enseigne tout particulièrement la dactylographie.

L'année précédente, quand Charlotte avait obtenu son brevet complémentaire d'enseignement primaire, après avoir reçu un premier brevet élémentaire l'année antérieure, Délia avait écrit à la maison offrant de recevoir Charlotte gratuitement pour le cours commercial. Cette offre était providentielle, car la jeune fille rêvait de devenir secrétaire comme sa grande sœur.

Charlotte demeure au pensionnat des Saints-Noms sur le chemin de la Côte Sainte-Catherine à Outremont et se rend tous les matins au collège, à quelques minutes de marche, avenue du Mont-Royal. Le programme des cours se termine à treize heures, mais Charlotte retourne au pensionnat pour le repas de midi et revient l'après-midi où elle retrouve Délia dans l'intimité.

Elle exécute ses exercices de dactylographie et fait ses devoirs et ses études pour le lendemain : la sténographie bilingue, la correspondance commerciale bilingue, la comptabilité et le travail général de bureau. La majorité des cours sont présentés en anglais, même les prières du matin se font dans cette langue, c'est la langue de communication. Charlotte travaille sans relâche de septembre à mars. À ce moment, la directrice lui dit :

— Si vous voulez, à la fin d'avril je vous ferai passer vos examens et de cette façon vous arriverez sur le marché du travail avant les finissantes du mois de juin. Nous vous ferons parvenir votre diplôme comme les autres en juillet. Vous savez que la grande crise se fait encore sentir et que le travail est rare.

Mise au courant des faits, Marguerite, qui travaille dans un bureau d'avocat, annonce la venue de sa sœur et, comme la religieuse l'avait prévu, Charlotte trouve un emploi dans un autre bureau d'avocats dès son arrivée en mai.

Elle gagne cinq dollars par semaine, mais au bout d'un mois elle reçoit une augmentation à huit dollars et cinquante sous. De même que Marguerite, elle donne son salaire à sa mère, ne gardant que quelques dollars.

La même année, la ville de Sherbrooke sonne une grosse cloche, elle décide de célébrer son centenaire.

« La Reine des Cantons de l'Est » annonce un éblouissant festival de gaieté, de grandioses évocations historiques, un gala de chant et de musique : cinq semaines de réjouissances et d'agréables réminiscences, du 31 juillet au 4 septembre 1937.

Depuis le printemps les détails des fêtes du centenaire sont largement cités dans le journal *La Tribune* de Sherbrooke, qui ne parle plus que de cet événement.

Pour les dirigeants municipaux, l'objectif est d'attirer des industries et stimuler la « ville électrique ». Une invitation lancée à travers la province de Québec, tout le Canada et les États-Unis annonce un festival sans précédent et des activités incomparables.

La population est mise à contribution, on met sur pied un chœur de chant de cinq cents voix. Marguerite et Charlotte s'inscrivent à cette dernière activité et sont fidèles aux répétitions. La tâche requiert une robe du centenaire. Elles sont très jolies dans leur accoutrement. Marguerite dans une robe froufrou en taffetas et un grand chapeau assorti d'une plume de paon et Charlotte dans une toilette plus juvénile en mousseline de coton, garnie de volants d'organdi rose.

Au programme s'ajoute, comme il se doit, un grand défilé.

— Vous pourriez participer au défilé avec le poney du voisin et sa petite voiture, suggère André à Marguerite et Charlotte, aussitôt appuyé par Henri et Robert. Sans trop d'hésitation, les jeunes filles acceptent.

Les garçons décorent la voiturette et le petit cheval. Le jour venu, dans l'après-midi ces derniers conduisent l'équipage au départ du défilé, alors que ces dames s'y rendent en voiture. Il est convenu que Robert conduira la voiture à la fin du défilé et récupérera le char allégorique.

En montant Charlotte s'écrie : « C'est bien haut ! » Les voilà toutes les deux en route vers la gloire, Marguerite a les guides bien en mains. Le premier kilomètre va comme ci comme ça. Le petit cabriolet balance sur ses deux roues en branlant et semble peu solide. Charlotte craint de tomber.

Au deuxième kilomètre le poney s'arrête et ne veut plus avancer. Marguerite joue du petit fouet, mais l'animal reste impassible. Le défilé est arrêté, que faire ? Quand enfin un homme s'avance et prend la bête par la bride, elle se remet en marche, pour recommencer son manège un peu plus loin.

Charlotte est extrêmement mal à l'aise. Elle n'aime pas le voyage et, à destination, sa petite culotte est toute mouillée, même sa robe du centenaire est souillée.

*

* *

La besogne à la maison, avec la famille et un engagé, représente une lourde tâche pour Léona :

— Je vais engager une bonne, décide alors André.

C'est ainsi que bientôt une jolie brunette, Jacqueline, partage le travail ménager de la famille avec Léona.

À l'été, Marguerite organise un voyage vers New York où a lieu l'Exposition mondiale de 1939. Benoît et Charlotte sont du voyage de même qu'une petite cousine et son père. Benoît sera le chauffeur de la voiture.

*

* *

Depuis près d'un an l'Allemagne, qui avait connu la défaite en 1918, commence à exprimer son ressentiment envers ses voisins. Le 1er novembre 1939, sous son dictateur Adolf Hitler, elle envahit la Pologne pour agrandir son territoire. La France et l'Angleterre avaient tenté des négociations sans succès et le 3 novembre ces deux pays déclarent la guerre à l'Allemagne. C'est le début d'une nouvelle guerre mondiale.

L'Angleterre en guerre provoque de vives interrogations chez les Canadiens. À la maison, André pense à ses garçons : y aura-t-il conscription ?

Adrien aura bientôt vingt-sept ans, mais son état de novice chez les Franciscains à Rosemont, où il complète ses études en théologie, lui assure une certaine immunité. D'un autre côté, Benoît vient d'avoir vingt-trois ans. Qu'adviendra-t-il de lui ? songe André.

9

L'épreuve

La guerre, que l'on avait prévue de courte durée, se prolonge et même s'intensifie. Au Canada, l'armée de réserve se mobilise et un contingent de volontaires part pour l'entraînement en Grande-Bretagne. Dans bien des cas ce sont de jeunes gens heureux de fuir l'atmosphère de marasme de la grande dépression économique. D'autre part, à Ottawa, le premier ministre s'use littéralement sous les pressions des milieux anglophones sollicitant l'augmentation de l'effort de guerre et demandant d'imposer la conscription. Par contre, le ministre de la Justice, dans le cabinet Mackenzie King, s'est fait élire au Québec en promettant qu'il n'y aurait pas de conscription.

À l'été 1940, un jeudi en fin d'après midi, André s'installe à table, quand Benoît se présente, l'air un peu affolé.

— Papa, je veux me marier.

André demeure interloqué. Comme lui, toute la maisonnée a compris que le jeune garçon ressent plus qu'un béguin pour la jeune et jolie Jacqueline, qui aide Léona dans la maison depuis plus d'un an. Intérieurement, son père se pose la question: « Est-ce qu'il y a urgence ? » Et il foudroie son fils du regard.

Devant son silence, Benoît ajoute:

— C'est à cause de la conscription. Il paraît que les journaux ont publié la nouvelle à l'effet qu'après le 15 juillet les célibataires seront appelés pour le service militaire.

Le dimanche après-midi, 14 juillet 1940, une douzaine de couples sont présents à la chapelle de la paroisse Saint-Jean-Baptiste de Sherbrooke avec leurs témoins et chacun formule, en présence du curé, les promesses du mariage. Benoît et Jacqueline s'unissent pour la vie. La tante de Jacqueline, Albertine Gagné Cliche, la sœur de son père, qui lui a servi de mère, aujourd'hui lui sert de témoin et André est là avec son fils. Le local restreint de la chapelle limite l'assistance aux divers témoins.

La mariée porte une jolie robe en crêpe gris-perle, accompagné d'un mignon petit chapeau et de son renard argenté, une mode très populaire à ce moment. À la maison, les sœurs du marié travaillent à créer l'ambiance des réjouissances et aident leur mère à préparer le repas, sans oublier le gâteau de noces. Depuis la veille, le téléphone a propagé la nouvelle.

La parenté de Jacqueline vient lui témoigner son affection, l'oncle docteur vient de Montréal et tous les parents et amis des alentours répondent à l'appel. Les invités à la réception arrivent à la maison en exprimant une certaine hésitation, en se posant une question :

— On ne reconnaît pas la place, qu'est ce qui se passe ?

Devant la maison, le parterre est coupé à dix pieds de profondeur où passe la route. Alors André est heureux d'expliquer que la grand-route passe maintenant devant sa maison pour rejoindre la municipalité d'Ascot. Il affirme : « Je l'avais dit depuis longtemps, un jour le grand chemin passera ici. » Devant certains regards interrogateurs, il ajoute : « Avant, le chemin passait par la rue du Conseil. »

Pour la veillée, les hommes ont dressé une plate-forme sur la pelouse, la musique et la danse résonnent avec allégresse. Finalement, les nouveaux mariés partent pour leur nuit de noces dans un petit motel.

Le lundi matin, dans les journaux l'événement fait la manchette. À Montréal plus de cent mariages ont été célébrés à l'église Notre-Dame. Toutes sortes de ragots entourent les circonstances, des filles qui pleurent en disant « c'est pas lui que j'aime », des nouveaux maris qui ont disparu après la cérémonie, il y a des pleurs et des grincements de dents, mais aussi beaucoup de satisfaction. De nombreux couples qui, en temps venu, célébreront leurs noces d'argent à l'unisson.

Chez André, il faut quelques jours à la maisonnée pour réaliser que ce n'était pas un rêve et qu'un premier mariage dans la famille est réel. Toutefois la vie quotidienne reprend vite ses droits. André mène la besogne avec toujours le même enthousiasme. L'installation d'une trayeuse électrique facilite sa tâche. Il part le matin avec sa charge de bouteilles de lait dans la voiture. De son côté Monique, diplômée de l'École normale depuis plus d'un an, travaille en ville comme commis de bureau dans un grand magasin. L'enseignement n'avait aucun attrait pour elle.

Comme la voiture demeure exclusivement au service d'André, ce dernier se charge d'aller conduire ses filles à leur bureau le matin et d'aller les chercher à cinq heures. De sorte que les trois filles prennent leur dîner dans un genre de pension de famille, dirigée par une veuve, madame Poupart, rue Wellington.

Cette dernière devient une excellente cliente pour André. C'est une veuve rondelette au teint de pêche. À la fin de la matinée quand arrive son laitier, elle lui offre un café et, de jour en jour, la conversation s'allonge. Elle lui fait des confidences, lui raconte ses malheurs. Le midi, quand André revient de sa tournée en ville, il a toujours une histoire à raconter à Léona à son sujet. Il est impressionné par l'esprit d'entreprise de cette femme et aussi par l'appréciation qu'elle a de lui-même.

Un jour, en arrivant, il dit à Léona :

— Madame Poupart veut aller à Sawyerville, elle veut récupérer une somme d'argent dans sa parenté. Ce n'est pas très loin, je lui ai promis d'aller la conduire après souper. Veux-tu venir avec nous ?

Après un bref signe de tête négatif, sa femme lui tourne le dos.

Quand les filles arrivent après leur travail, André parle de son projet en ajoutant que sa femme ne veut pas les accompagner. Charlotte sent qu'il y a un malaise chez lui. Elle a lu de nombreux petits romans à l'eau de rose et perçoit le quiproquo.

— Je vais vous accompagner, papa.

Elle sait que son père est droit comme l'épée du roi, mais qu'il ne comprend pas que pour Léona, toujours sagement dans sa cuisine, cette personne lui porte ombrage.

Le lendemain matin au déjeuner André déclare :

— Léona, tu n'as rien à craindre de cette femme.

André est l'innocence même, il n'a jamais réalisé qu'il inquiétait sa femme en lui racontant son admiration pour la débrouillardise de cette veuve, qui d'ailleurs apparaît aussi sincère de son côté. André n'a pas de secret, les anecdotes de madame Poupart cessent alors, mais la grande guerre continue.

À l'été, l'effondrement de la France fait l'effet d'une véritable bombe au Québec. Au lendemain de cette capitulation, le premier-ministre King présente à la Chambre une mesure de conscription pour le service militaire essentiellement intérieur. Elle fut baptisée la Loi des mobilisations des ressources nationales.

D'autre part, forts des résultats extrêmement positifs en leur faveur lors du dernier scrutin, les libéraux à Ottawa votent en 1940 la loi du salaire minimum et l'on procède à l'instauration de l'assurance-chômage. Au Québec, le droit de vote est accordé aux femmes. Ce droit existait ailleurs au Canada depuis 1918.

Le printemps suivant un nouvel épisode vient marquer la vie familiale. Adrien, qui avait été admis dans la communauté des Franciscains, après son noviciat à Lennoxville, annonce qu'il sera ordonné prêtre le 29 juin 1941.

La cérémonie se déroule en la chapelle des Pères des Missions étrangères à Laval. Adrien reçoit le nom de père Osias, du nom de l'évêque du diocèse Saint-Michel de Sherbrooke, Mgr Osias Gagnon. L'importance et la solennité de l'événement sont accrues par l'ordination de douze de ses confrères ainsi que de vingt-huit membres d'autres communautés religieuses.

Le lendemain, une cérémonie se déroule au monastère des Franciscains à Lennoxville pour marquer la célébration de la première messe du père Osias. À cette occasion, le jeune ordonné a le plaisir de revoir le père Richard Van Dendeck, qui lui avait fourni une si puissante lettre de recommandations. Après la cérémonie, on sent l'émotion d'André et de Léona et de toute l'assistance, quand ces derniers s'agenouillent devant leur fils pour lui demander sa bénédiction.

Le dimanche, la fête continue à la paroisse Saint-Jean-Baptiste à Sherbrooke. Le jeune prêtre y célèbre sa première grand-messe solennelle. Une nombreuse assistance comble l'église et à l'issue de la cérémonie une photo sur le parvis conservera pour l'avenir la présence de près d'une centaine de personnes, parents et amis. Les réjouissances se continuent avec la tenue d'un joyeux banquet à la salle paroissiale. Agapes dont André n'est pas peu fier.

À l'automne de la même année, un rayon de soleil vient entretenir cette atmosphère bénie. Arrive la naissance, le 11 octobre, d'une petite fille chez Benoît et Jacqueline. Elle s'appelle Thérèse. Un beau bébé en parfaite santé pour le grand bonheur de ses parents, mais aussi pour le grand-père qui déborde de joie quand enfin il tient dans ses bras ce premier petit-enfant que le ciel lui envoie. Les parents adoptifs de Jacqueline, Romulus et Albertine Cliche, sont de cérémonie au baptême.

Les mois passent, le jeune ménage demeure toujours sous le toit familial. Peu à peu des frictions s'installent. La jeune maman ne veut plus jouer le rôle de bonne dans la maison et les filles provoquent parfois des situations regrettables. Léona en souffre, elle aime bien sa belle-fille. Quand elle décide d'éveiller son mari à ce qui se passe, il est tout surpris d'apprendre les tiraillements douloureux qui se développent. Il admire beaucoup la jeune femme, il n'a d'yeux que pour elle. Il parle à son fils et lui offre une petite maison abandonnée sur un de ses lots, le long de la grand-route en allant vers la ville. Immédiatement, des travaux de rénovation sont lancés et dès les premiers beaux jours de la fin de l'hiver le jeune ménage s'installe.

Et la guerre continue. André lit son journal et écoute les commentaires à la radio. Le soir autour de la table chacun et chacune ressent les horreurs des nouvelles et les effets de la conscription. Henri travaille comme machiniste dans une usine de pièces de métal, l'Ingersoll Rand. À la maison, une nouvelle bonne partage leur vie.

De son côté Charlotte travaille maintenant dans le bureau d'un magasin, mais le travail lui apparaît bien monotone. Le bureau d'avocats pour lequel elle travaillait est fermé. Les deux professionnels, étant officiers de la Réserve militaire, ont été appelés, l'un à Ottawa, l'autre à Québec. À la fin de l'été la demoiselle part pour Montréal, supposément en vacances, mais elle projette, sans le dire à ses parents, de trouver du travail dans la métropole. Elle a quitté son emploi.

En arrivant dans la grande ville, elle se rend chez sa tante Laura, qui l'accueille avec grand plaisir. Charlotte l'informe de ses projets et le lendemain elle se rend au bureau de l'emploi en tramway. Après quelques démarches elle obtient un poste de secrétaire réceptionniste dans une usine de verre à vitre à Saint-Laurent.

Mise au fait, sa grande sœur Marie-Blanche, religieuse, l'invite alors à demeurer dans un foyer pour jeunes filles, que dirige sa communauté boulevard Saint-Joseph. Charlotte accepte et s'installe. Elle écrit à la maison en disant qu'elle a décidé de travailler à Montréal. Plus tard sa mère lui reprochera de ne pas l'avoir avertie. Je craignais votre opposition, dit-elle.

À l'automne, Charlotte reçoit une lettre de Marguerite lui annonçant que la petite Thérèse a maintenant un petit frère, né le 26 septembre 1942, et lui relatant les événements. À la naissance l'enfant a suscité beaucoup d'inquiétude. Le bébé est délicat et la nouvelle est parvenue aux grands-parents à l'effet que le médecin recommande de le faire baptiser immédiatement, en ajoutant que des complications chez le nouveau-né provoquent de graves inquiétudes. La famille accourt à l'hôpital. Le lendemain pas de changement, on redouble de ferveur. Ce n'est que le troisième jour que le danger est écarté.

Il s'appelle André, comme son grand-père, qui est au septième ciel, Léona et lui sont parrain et marraine. Il ne peut retenir ses larmes quand il tient dans ses bras son petit-fils — un mâle — *qui perpétuera son nom.*

Pendant les vacances d'été Robert livre le lait avec un cheval, six jours par semaine, excepté le dimanche où la tournée s'effectue en voiture. Un dimanche, André est occupé et Robert part avec la Chevrolet, il sait très bien conduire, mais il n'a que seize ans. Il descend un escalier, rue Dufferin où il a livré du lait et il trouve un policier qui l'attend.

— Montre-moi ton permis de conduire.

— Je n'en ai pas.

— Quel âge as-tu ?

— Seize ans, mais j'aurai dix-sept en juin.

— Comment t'appelles-tu ? Sais-tu que tu n'as pas le droit de conduire…

— Mon père ne pouvait pas venir aujourd'hui.

— Je ne dirai rien aujourd'hui, mais ne recommence pas !

Au début de 1943 Benoît est appelé sous les drapeaux. Toute la famille tremble, mais son employeur réussit à faire reporter son engagement, sous prétexte que son travail au garage est essentiel.

Un peu plus tard, Robert, il vient d'avoir 18 ans, reçoit un avis de se rapporter à l'officier recruteur. André court au bureau de ce dernier et obtient une exemption pour son fils, comme seul garçon de ferme à la maison, un travail essentiel, sans oublier son infirmité personnelle.

Le fait que la maison de Benoît demeure inconfortable par temps froids, décide André de lui en construire une neuve. Il choisit un terrain, le long de la grand-route, mais un peu plus rapproché de la maison familiale. Le budget ne permet pas l'embauche d'un important personnel pour cette construction, un homme tout au plus. Le père et le fils s'attellent à la tâche, le soir.

Quand arrive l'automne, une jolie maison attend les jeunes parents et les deux enfants. La finition à l'intérieur laisse à désirer, mais la famille sera au chaud. Cette demeure prend encore plus d'importance, considérant la venue d'une nouvelle naissance, attendue au printemps.

Le nouveau logis présente une certaine élégance à l'extérieur, le rez-de-chaussée fini en pierres des champs, et un recouvrement en déclin sur les murs de l'étage, sous un toit tronqué, lui donne un petit air de bungalow. Un perron extérieur donne accès à la cuisine. André garde toujours sa même politique : la cuisine doit s'ouvrir à l'entrée vers la route, pour le confort moral de la maîtresse de maison. Un salon et la chambre principale accompagnent la pièce d'accueil. À l'étage, trois petites chambres attendent les marmots.

L'année suivante, Benoît reçoit une nouvelle convocation de l'armée. L'enrôlement s'effectue avec de plus en plus d'insistance. Quand il passe l'examen médical, il est déclaré inapte au service militaire, à cause d'une importante cicatrice sur son cuir chevelu. Les médecins croient qu'il a subi une fracture du crâne et le candidat fait attention de ne pas les détromper.

De son côté, Robert n'est pas appelé de nouveau et en juin 1945 c'est la fin de la guerre ; Hitler est vaincu.

*

* *

Le jour de l'An 1947 est particulièrement joyeux. Les petits-enfants viennent fêter avec leur grand-père. Il y en a maintenant quatre, chez Benoît et Jacqueline, des jumeaux sont apparus le 24 mai 1946 : tout un événement ! Deux beaux bébés, une fille et un garçon, Louise et Louis, dont tout le clan est fier. Magella Cliche et son épouse Annette sont les parrain et marraine de Louise, tandis que l'oncle Henri et tante Monique répondront de Louis.

André compte maintenant soixante-quatre printemps, sa situation économique est stable et presque florissante. Il arpente son domaine et vend des terrains. Il décide alors d'acheter une nouvelle voiture. La Chevrolet 1940 prend de l'âge...

À Pâques, Charlotte vient de Montréal avec son ami, Fernand Raymond. Ils se sont fiancés le Noël précédent et ils viennent « mettre les bans » pour l'été. La date du mariage est fixée au 12 juillet. On en parle toute la fin de semaine. Les amoureux se promènent dans les petits sentiers de la ferme, ignorant qu'un terrible drame obscurcira leur bonheur.

Deux semaines plus tard, André reçoit un appel de Montréal, lui annonçant que son frère Ernest est mourant à l'Hôtel-Dieu où ses sœurs religieuses et infirmières lui prodiguent tout leur amour. André décide de se rendre au chevet de son frère avec Léona par le chemin de fer. Le départ du train étant à quatre heures, il demande à Benoît de venir les conduire.

— Prends mon auto et tu la garderas pour la journée.

En passant, le groupe s'arrête dire bonjour à leur belle-fille et aux petits-enfants. Jacqueline embrasse son mari en lui disant à ce soir...

Dans son journal, la jeune maman raconte :

« Il était trois heures dix, je venais de mettre les jumeaux dehors pour la première fois. C'est la dernière fois que j'ai vu Benoît et que je lui ai parlé. À six heures vingt-huit je reçois un téléphone d'Yvan Talon, un ami, m'annonçant que Benoît venait de se faire frapper par un train. Il était avec mon frère Ronaldo.

« C'était le mardi 22 avril 1947. Ronaldo est mort sur le coup et Benoît fut transporté à l'hôpital Saint-Vincent-de-Paul. Je me souviens, j'ai couru à la maison paternelle chercher Monique pour lui demander de venir garder les enfants. »

En arrivant à l'hôpital on refuse de lui laisser voir son mari, sous prétexte qu'il n'est plus là :

— Il n'a pas survécu. Il a reçu les derniers sacrements et il est déjà chez l'entrepreneur de pompes funèbres, lui dit la préposée.

La religieuse de garde lui parle longuement et lui donne un calmant. De son côté, elle regarde la religieuse sans la voir, elle est pétrifiée, elle ne parle pas, elle ne pleure pas, elle ne le croit pas. Elle est seule, on lui propose un taxi en lui suggérant de retourner vers ses enfants.

De leur côté, à Montréal, André et Léona viennent à peine d'arriver à l'Hôtel-Dieu. Ernest est encore vivant, ils sont contents de pouvoir lui parler. Mais à la porte de la chambre on chuchote. La femme d'Ernest est là avec les deux religieuses, Charlotte vient de leur communiquer la nouvelle dans le couloir avec discrétion. Comment dire cette chose atroce ? Les tantes suggèrent d'atténuer la nouvelle en disant que Benoît a été frappé par un train et qu'il est grièvement blessé et en danger de mort.

André veut retourner à Sherbrooke, mais à cette heure il n'y a ni train, ni autobus. Charlotte suggère de communiquer avec son employeur, le garage Jarry Automobile, où elle est secrétaire du président, pour obtenir une voiture et conduire ses parents à la maison dès le soir. Le garage accepte et André et Léona arrivent à Sherbrooke à la fin de la soirée. En arrivant, ils demandent au chauffeur de les conduire à l'hôpital. Ils ont gardé un certain espoir. La réponse brutale tombe comme un couperet : « Cher monsieur, il n'a pas survécu longtemps. »

La maison est vide, Monique est toujours chez Jacqueline. Robert arrive et tente de leur expliquer ce qui est arrivé.

Il semble qu'après son travail Benoît ait décidé d'aller chez son ami Yvan pour réparer sa voiture. Ce dernier demeure à la limite de la ville à quelques arpents du passage à niveau, dit « les quatre pins ». Le train de passagers de dix-huit heures venant de Montréal était en retard, il entrait en ville à pleine vapeur. Pourquoi Benoît n'a-t-il pas vu venir le train ? Est-ce qu'il croyait que le train était déjà passé ? Il allait souvent chez cet ami. La nuit se passe en conjectures. L'interrogation demeure, on ne saura jamais. Il avait trente ans.

Plus tard, un témoin déclare qu'il était à sa fenêtre et qu'il a vu la voiture avancer lentement sur la voie ferrée pendant que le train approchait et que s'est produit l'impact.

Tôt le lendemain matin, l'entrepreneur de pompes funèbres est là pour les instructions. André doit tout d'abord identifier son fils et le beau-frère de celui-ci. Le jeune Ronaldo et ses vingt printemps sera exposé dans le même salon que Benoît. André le prend à sa charge. À son retour à la maison, une longue journée s'impose à eux. Les victimes ne seront exposées que le lendemain à deux heures. Léona ne peut se lever, des larmes coulent lentement sur son oreiller. Son médecin vient lui prescrire un sédatif. Pour André, c'est la prostration, il ne veut rien manger. Il reste affalé dans sa chaise au fond de la cuisine.

Le curé de la paroisse vient leur rendre visite dans l'après-midi. Ses paroles apaisent un peu le pauvre père, il se met à sangloter. Il ne peut accepter cette nouvelle croix. Il en a accepté un bon nombre dans sa vie, mais perdre son garçon, tellement plein de vie et auquel il était si attaché… « J'ai donné mon fils aîné au Seigneur, déclare-t-il au curé, pourquoi m'enlever le deuxième ? » Il tremble, il ne peut maîtriser la vive douleur qui l'accable.

Bientôt, tous les enfants sont arrivés, même Marie-Blanche qui a quitté son couvent. Elle tente de consoler son papa qu'elle aime tant. Charlotte arrive au salon pour l'heure d'ouverture. Déjà les gens se pressent, toute la ville en parle, l'accident fait la manchette de *La Tribune.*

À la fin de l'après-midi, quelqu'un amène Jacqueline au salon. Son regard en dit long, elle ne crie pas, elle gémit en une longue plainte. Sa douleur est trop profonde pour éclater. Elle ne peut supporter l'atmosphère du salon. Elle demande à retourner auprès de ses enfants. Sa tante, qui lui a servi de mère, est auprès d'elle.

Vers sept heures, Robert amène son père et sa mère au salon, lui a soixante-quatre ans et elle, deux ans de plus. Ils ont vieilli de dix ans en une nuit. Il faut leur ouvrir un passage, tellement les curieux sont nombreux. Léona a peine à se tenir debout, il faut la soutenir, mais

André est stoïque. Ils s'en retournent à la maison. Florianne et Marie-Rose sont là pour les recevoir. Le lendemain, Léona ne viendra pas au salon.

Les funérailles ont lieu le vendredi matin. Benoît et Ronaldo sont inhumés dans le lot familial qu'André vient d'acquérir dans le cimetière Saint-Michel de Sherbrooke. On apprend que l'oncle Ernest est décédé le lendemain de l'accident.

Le mardi suivant, Marguerite et Charlotte retournent à Montréal. Avant de partir, la fiancée consulte son père au sujet de son mariage.

— Mariez-vous quand même, ça ne le ramènera pas d'annuler votre décision, lui répond-il.

Au mois de juillet, la cérémonie nuptiale se déroule en l'église Sainte-Famille à Sherbrooke en toute simplicité. En ce samedi 12 juillet 1947, André conduit sa fille à l'autel et le père de Fernand, Nérée, accompagne son fils. Sa belle-mère, la deuxième femme de Nérée, est dans l'assistance. La mère de Fernand est décédée en 1932, après une longue maladie.

Le matin, la mariée se présente à l'église à l'heure précise, le marié est là, à la porte qui l'attend. Une jolie robe rose pâle en dentelle lui va à ravir, elle tient un livre d'heures. Après la cérémonie, ses amies la taquinent: « Tu as dit oui deux fois! »

La réception qui suit se déroule dans une résidence privée, une auberge cossue entourée d'un magnifique jardin. André veut bien faire les choses, c'est la première fille qu'il marie. Il a vendu un jeune taureau pur-sang pour couvrir les frais. Après le déjeuner, avec le beau soleil, les quelque cinquante parents et amis peuvent se délasser à l'extérieur, parmi les fleurs, et faire les photos traditionnelles.

*

* *

Tous les jours, André arrête chez sa belle-fille et ses enfants pour y porter du lait et voir à leur bien-être. La jeune femme veut demeurer dans sa maison. André transforme celle-ci pour y aménager un loyer à l'étage. Bientôt, la jeune veuve s'organise pour aller faire le ménage chez des bourgeois, comme elle dit. Elle pratiquera ce métier pendant plus de trente ans.

Les occupations submergent André. L'année précédente il avait vendu à la municipalité de Sherbrooke un grand terrain, au point le plus haut des alentours de sa maison, pour construire un réservoir d'eau municipal. Ces importants travaux sont aujourd'hui à leur terme et l'installation est recouverte de terre ne laissant qu'une bouche d'accès. Ce succès financier éveille un ambitieux projet dans l'esprit d'André.

— Sais-tu, ma femme, je vais construire une maison de rapport. Quand je ne pourrai plus travailler, ça nous fera un revenu.

À Sherbrooke, au mois de juin, une heureuse nouvelle vient alléger l'atmosphère. Fernand et Charlotte annoncent la naissance d'un garçon, un gros bébé de huit livres et demie, né le lundi 28 juin 1948 à l'hôpital Saint-Luc de Montréal. Sa santé est excellente. Le père de Fernand et son épouse Maria viennent de Causapscal pour assister au baptême, qui se déroule à l'hôpital, ils sont les heureux parrain et marraine, l'enfant se nomme Serge.

Quelques semaines plus tard, après la naissance de Serge, Charlotte vient séjourner chez sa mère pour reprendre ses forces, l'accouchement a été difficile. Elle arrive par chemin de fer avec son moïse qu'elle a habillé de bleu et de rose, par prévoyance. À bord du train tous les regards se portent vers ce passager et son attrayant berceau. Le conducteur n'a jamais vu un aussi audacieux équipage dans ses wagons, il lui accorde toute son attention.

André, qui attend sur le quai de la gare, voit arriver sa fille et son panier à la main. Il arbore un air un peu ébahi, mais non moins fier, en songeant que dans son temps les berceaux étaient dans la chambre à coucher.

Grand-maman et Monique accueillent ce visiteur avec joie et ravissement. L'enfant se laisse dorloter. Il ne pleure pas la nuit et la jeune maman consacre tout son temps à ses besoins, la préparation des biberons, la toilette du nourrisson, etc. Mais le séjour de Charlotte chez ses parents cache aussi un autre but, celui d'assister au mariage de son frère Robert.

Tel que prévu, la cérémonie du mariage se déroule le 21 août 1948, en l'église Sainte-Famille de Sherbrooke. La dulcinée, une jolie brunette aux cheveux châtains, Claire, resplendit dans sa longue robe blanche, son diadème et son bouquet de fleurs « Forget me not ». Un peu guindé, le marié est non moins séduisant. Le père de Claire, Philippe Métivier, est retenu en voyage et Omer, son beau-frère, lui sert de père.

Toute l'assistance de parents et amis se transporte à la même superbe auberge, où André avait reçu ses invités l'année précédente. Les petites tables installées dans un décor champêtre enchantent la nouvelle mariée. Amoureuse de la nature, les plates-bandes odorantes autour de la propriété complètent son allégresse.

Pour son voyage de noces, Robert utilise la voiture de son père, une Plymouth 1937 qu'André a achetée, usagée, après le décès de Benoît. Un tacot qui semble à son dernier souffle. Robert raconte qu'il a failli la perdre en chemin. Les mariés se complaisent dans une tournée à travers le Québec.

Le nouveau couple s'installe, à loyer, à l'étage d'une maison voisine de chez André. Depuis près d'un an, Robert travaille au chemin de fer Canadian Pacific où, tout comme lui, son père avait trimé quarante et un an plus tôt.

Après avoir passé la fête de Noël à la maison avec sa petite famille, Charlotte invite sa mère à venir passer quelque temps avec elle à Montréal. Au début de février 1949, cette dernière est à Montréal quand un téléphone de Monique vient leur apprendre le décès subit du frère de Léona, l'abbé Gilles, membre de la Fraternité sacerdotale à la Pointe-du-Lac, près de Trois-Rivières. Elle ne possède pas de détails pour le moment.

Quand Fernand, qui travaille pour le service de l'Impôt fédéral, revient un peu après cinq heures, il trouve deux femmes assez affolées. Un tas de questions se posent : comment est-ce arrivé, a-t-il eu un accident ? Charlotte et sa mère se lèvent le lendemain après une nuit troublée par l'inquiétude. Vers neuf heures, on sonne à la porte. C'est André. En le voyant, les deux femmes éclatent en sanglots.

— Ma femme, pensais-tu que j'étais pour t'abandonner dans de pareilles circonstances ? Gilles a subi une opération au foie et à cause de complications, il n'a pas survécu à l'intervention. Les funérailles ont lieu demain. Nous allons partir maintenant, fais ta valise.

La décennie des années 1940 inaugure la descendance d'André, cinq fois grand-père. Mais l'année 1949 s'achève avec une surprise. Fernand téléphone de l'hôpital à Montréal, pour annoncer que

Charlotte vient de donner naissance à une petite fille, on est le 21 décembre. L'arrivée du bébé est une surprise, en ce qu'elle était attendue un mois plus tard. La petite est délicate, mais elle pèse plus de cinq livres et le médecin affirme qu'il n'y a pas de crainte pour sa vie, mais il suggère de la faire baptiser à l'hôpital.

À la demande du jeune papa, Léona et André arrivent à Montréal pour la cérémonie du baptême. L'événement a lieu le samedi, 24 décembre, la veille de Noël. Grand-maman admire cette petite, si délicate, au teint si clair. « Je crois qu'elle aura les yeux bleus », dit-elle. Sa prédiction se réalisera. « Et elle ressemble à sa grand-mère », d'ajouter le grand père. Elle s'appelle Nicole. André, qui jouit encore d'une bonne maîtrise du volant, retourne chez eux le soir même pour la Messe de minuit.

De son côté, Fernand trouve la maison bien grande. Depuis l'automne 1948, il a acheté une maison à l'extrémité ouest de la ville, la rue précédant Montreal West. Il fait la navette entre la rue Connaught, l'hôpital et la rue Aylmer où la tante de Fernand, tante Adèle, comme il l'appelle depuis toujours, garde le petit frère, Serge. Adèle avait habité dans la famille pendant près de trente ans, pour soutenir la santé d'Anna, la mère de Fernand. Cette dernière, malgré une santé fragile, avait donné naissance à dix enfants.

Un autre important changement se produit, cette fois dans la routine d'André. Après la guerre, le gouvernement avait imposé une loi décrétant l'obligation de la pasteurisation du lait à être livré aux consommateurs canadiens. À partir de ce moment André livre sa production de lait en vrac, à la laiterie de la 12e Avenue. La petite laiterie a pris de l'importance et a subi une transformation et un agrandissement pour l'installation de l'équipement pour la pasteurisation du lait.

Finie la tournée matinale pour André, elle devenait pénible pour ses soixante-sept ans. Il vend la liste de sa clientèle à la laiterie avec une certaine satisfaction.

— J'ai ressenti un immense bienfait et un surprenant regain de vigueur.

Il est d'autant plus content de cette dernière décision quand, le 26 juin 1950, il vend une partie de son terrain, quarante acres, à l'est de la 15e Avenue, à la Corporation épiscopale du diocèse Saint-Michel de Sherbrooke. Monseigneur Philippe Desranleau se propose d'y construire un séminaire, sous le nom de Saint-Joseph-de-Sherbrooke. Plus tard, l'idée fut abandonnée et le terrain cédé en partie à la Commission scolaire de Sherbrooke, où existe aujourd'hui l'école LeBer, et le reste vendu à des particuliers. Au moment de conclure la transaction, André, toujours sensible aux besoins de l'Église, établit la transaction à un prix dérisoire.

— Plus tard, vous inscrirez mes petits-enfants, pour rien au séminaire, dit-il.

L'histoire rapporte que jamais un de ses petits-enfants n'a profité de cette aubaine.

Cette somme rondelette réveille en lui le rêve de construire une maison de rapport.

— Ma femme, je vais construire une maison assez grande pour répondre aux besoins des grosses familles.

Il dresse les plans d'une maison de quarante pieds sur trente-cinq, il veut de grands logements pour accueillir les grosses familles. Il sait, après avoir parcouru la ville en tous sens, que les familles nombreuses ne jouissent souvent que de trois ou quatre pièces. Après avoir établi les dimensions et creusé une cave, il établit les fondations lui-même.

Il faut le voir à l'œuvre comme une jeunesse, la truelle à la main, le mortier de l'autre. Il engage des ouvriers. Les garçons sont chargés d'apporter les pierres requises. Elles ne sont pas rares, il y en a des tas un peu partout le long des terrains cultivés. La montagne a largement pourvu ce sol de pierres de toutes sortes. Depuis des années, André a ameubli cette terre.

— Hâtez-vous les jeunes, je vais manquer de pierres.

Henri, lui, est de retour de Montréal, où il travaillait pendant la guerre. Sa mère lui avait écrit: « Reviens, ton père a besoin de toi. » C'est à lui qu'il incombe de surveiller et de voir à l'approvisionnement des matériaux qu'il transporte parfois à l'intérieur de la Chevrolet 1950. Tout l'hiver des ouvriers travaillent à la finition intérieure et finalement la maison de trois étages en blocs de ciment, recouverts de stuc, est complétée.

Au printemps, la maison est vite occupée au maximum, accueillant trois grosses familles. Ça ne fait pas deux mois que ces gens habitent sous le même toit que commencent les frictions. Les enfants se chamaillent et les ménagères ont de la difficulté à faire respecter leur domaine. André, qui n'a aucune expérience dans l'exercice des fonctions de propriétaire de maison de rapport, se rend sur les lieux et réussit à adoucir un peu le tumulte. Il ne sait pas encore qu'il a perdu sa douce paix.

La famille grandit, par contre la maison paternelle semble devenir plus vaste. Marguerite surprend tout le monde en annonçant son départ pour Los Angeles. Elle projette de se rendre à Davenport, en Iowa, pour suivre un cours en chiropratique. Depuis qu'elle a souffert de tuberculose dans sa jeunesse, elle s'intéresse particulièrement à la médecine et voit aujourd'hui dans cette spécialité un moyen d'améliorer la santé des gens de son entourage.

À Pâques, Marguerite envoie des États-Unis un télégramme de bons vœux : « Je vous embrasse avec des bons becs à la tire d'érable. » Dans une lettre ultérieure, elle raconte que le préposé aux télégrammes lui avait demandé : « What does mean *tire* in all this ? »

La besogne continue. Souvent à l'heure de la traite, le soir, Robert vient donner un coup de main. Mais le 7 février 1951 il arrive avec un air de triomphe, il vient annoncer que l'événement tant attendu se réalise, il est le papa d'une belle fille. Un bébé joufflu que sa mère Claire peut cajoler à sa grande joie. Les parents de Claire, Philippe et Annette, sont les heureux parrain et marraine, la petite s'appelle Esther.

En décembre de la même année la cigogne signale de nouveau sa visite dans la famille. Charlotte et Fernand annoncent la naissance d'une deuxième fille, née le 14 décembre. Une petite brunettte aux yeux noirs, bien sage et bien attachée à la vie. Elle est baptisée à l'hôpital sous le nom de Claudine. Sa tante Luce, la sœur de Fernand, qui est infirmière à l'hôpital même, est la marraine avec son frère, Georges-Étienne, médecin à Amqui.

À ce moment un autre grand événement vient changer l'orientation de cette jeune famille. Fernand, après de longs mois de réflexion, décide d'ouvrir son bureau personnel comme comptable agréé, à Campbellton au Nouveau-Brunswick. La vie de fonctionnaire et l'atmosphère de compétition, la jungle de rivalités vers l'avancement dans le personnel ne conviennent pas à son tempérament.

Le lendemain du jour de l'An 1952, il prend le train du Canadien National pour sa nouvelle destinée. Le bébé n'a pas un mois. Il part seul vers l'aventure. À destination, il loge à l'hôtel et commence à établir des contacts. Il rend visite au maire de la ville, un francophone, qui lui signale que son établissement dans cette localité pourrait être difficile. Il rencontre des hommes d'affaires et des marchands qui l'encouragent, un épicier lui promet même sa clientèle.

Les lettres parviennent régulièrement à Charlotte et deux semaines plus tard, son cher comptable lui déclare qu'il a loué un bureau, en haut du magasin Continental. Il y a deux pièces. Un pupitre et quelques chaises dans l'une et un divan dans la deuxième, qui lui servira de chambre à coucher. Il a maintenant une adresse.

Une lettre vient vite lui exprimer le grand vide ressenti chez les siens.

Ici les enfants sont bien, pour le moment. Le bébé a été malade, j'ai fait venir le pédiatre. C'était un début de pneumonie, qui a vite été enrayée. Les enfants demandent souvent où tu es. J'ai longuement expliqué à Serge pourquoi tu étais parti, mais que tu vas revenir. Le lendemain il demande pourquoi tu n'es pas là. Dans le moment il me regarde écrire, il sait que c'est pour toi. La petite Nicole est venue se blottir subitement dans mes bras, quelque chose lui manquait… Moi aussi je trouve le temps long, mais les enfants m'occupent. Quand penses-tu venir? Je trouve les nuits longues, je pense à toi.

Ta petite femme qui t'aime.

Quand il vient à Montréal, à la fin de février, Fernand annonce qu'éventuellement il faudra déménager, sa décision de s'établir à Campbellton est sans appel. Charlotte n'est pas surprise, avec son esprit d'aventure, elle est prête à le suivre au bout du monde. Au mois d'avril il vend la maison de la rue Connaught.

Il acquiert une voiture et le 5 mai il vient chercher sa famille de trois enfants, non sans passer quelques jours à Sherbrooke. Leur ménage les attendra à Matapédia, où ils s'établiront dans un grand appartement de cinq pièces, fraîchement rénové, dont une grande cuisine. La ville n'offrait aucun logement convenable et ce village sympathique leur donne l'impression de vivre à la campagne. D'autant plus que la cuisine est agrémentée d'un immense poêle à bois, que Charlotte a plaisir à faire ronronner.

Toutefois, cette situation change le printemps suivant. Un soir, Fernand revient de son bureau avec un arc-en-ciel dans les yeux :

— Cet après-midi, j'ai visité une grande maison, c'est le Dr Carette qui m'en a parlé.

Le Dr Carette était président du club Richelieu et, à son invitation, Fernand en était devenu membre. Le club Richelieu devint une activité importante dans sa carrière. C'était le premier club Richelieu aux Maritimes. Fernand en fut trésorier pendant plus de dix ans et rédacteur du bulletin pendant de nombreuses années. Il en fut président en 1967.

Ce soir là, Fernand vante les qualités de cette demeure pendant une partie de la nuit.

C'est une très bonne construction avec deux cheminées, toute en bois et on n'y a pas ménagé le bois. Dans le grenier on voit des planches de douze pouces de large dans la corniche. Il y a des vitraux dans les fenêtres, un foyer dans le salon. Les murs sont en véritable plâtre. Actuellement la maison sert de bureau à la Gendarmerie royale. C'est une dame Hébert de Montréal qui est propriétaire. Son mari, avocat, est décédé il y a quelques années.

C'est avec nostalgie que cette dame cédera la maison à Fernand. Le 1er juin 1953 ils sont heureux d'entrer dans cette grande maison. Les enfants courent partout, émerveillés. La maison est négligée, mais le nouveau propriétaire voit à ce que ça change. Deux mois plus tard, avec un jeune menuisier et Henri, le frère de Charlotte, et le beau temps qui perdure, les galeries sont réparées et la peinture a redonné vie à la bâtisse. Ils y demeureront près de trente-cinq ans.

10

Le dernier rêve

Ce matin-là, André se lève un peu plus tôt, il expédie sa besogne rondement. Il engloutit son déjeuner en promenant un œil tout neuf sur son entourage, il se sent prêt à franchir les montagnes…

— Ce matin, je vais chercher un permis de construction à la ville, dit-il en regardant sa femme.

Sa déclaration, qu'il croyait aussi importante que la venue du Messie, ne provoque pas la réaction attendue.

— Tu dis rien, ma femme ? Tu sais, j'ai décidé de construire encore une maison de loyers.

— Ah ! Tu as toujours été *embardeux*, y a rien pour t'arrêter quand tu as quelque chose dans la tête.

— Tu sais, Léona, je vais faire comme l'autre : trois étages et des loyers de six pièces. Ça nous donnera encore un meilleur revenu.

Le dialogue vient de finir. André comprend que Léona n'est pas d'accord. Il finit son repas l'air pensif. Il se sent poussé vers cette réalisation. Encore une fois, il est le jouet de son grand désir d'entreprise. En se levant de sa chaise, il se pince le nez, comme pour effacer ce reproche voilé. Son idée de bâtir une grande habitation pour les miséreux, les grosses familles, l'obsède. De nouveau il avait lu dans le journal l'histoire d'une famille de huit enfants à qui on avait refusé la location d'un appartement. Il s'en va.

Léona continue son train matinal. Son André lui en a fait traverser, des ruisseaux, des rivières et presque des océans houleux! Elle sait qu'il ira au bout de son idée, qu'au fond, elle trouve presque saugrenue, à son âge. « Un adolescent qui veut toujours changer le monde », se dit-elle.

Son monde à elle, il est plutôt dans sa jeunesse. Elle s'assoit dans la grande berceuse et commence à dire son chapelet. Monique n'est pas descendue. Elle regarde dehors et la voilà rendue chez son père. Comme c'est beau, elle voudrait bien y retourner, ce n'est pas loin... si elle allait faire un tour? Son chapeau un peu de travers et un châle sur les épaules, elle sort. Elle est heureuse et sent la vigueur de sa jeunesse lui courir dans les jambes, elle marche vite.

Monique a entendu fermer la porte, elle regarde dehors, elle ne voit personne. Elle descend, sa mère n'est plus là. L'inquiétude la gagne, où est-elle? Personne sur la grand-route, elle court du côté de la grange, vers le chemin de l'étang. Elle est là.

— Je m'en vais à Moe's River.

— Venez avec moi à la maison, on prendra l'auto pour aller chez grand-père.

Le midi, quand André revient de la ville avec tous les papiers légaux, il gronde sa compagne de toujours:

— Tu devrais m'attendre pour sortir, ma vieille, je t'ai souvent amenée chez tes parents. À l'hôtel de ville, le commis a refusé de me donner un permis, parce que je n'avais pas une déclaration notariée concernant le cadastre. J'ai eu beau lui dire que c'était le même lot que l'autre fois, inutile. Ces jeunes-là ça ne veut rien comprendre, il avait dans sa tête de cochon que je soumette une nouvelle déclaration. Il faut que j'aille chez le notaire Boudreau cet après-midi.

Le lendemain matin, il pleut à verse, les ouvriers ne sont pas là pour creuser la cave. Depuis longtemps, il a marché et mesuré le terrain, il a posé un fil de démarcation des fondations, mais cette pluie...

Pourtant, trois semaines plus tard, le premier plancher recouvre les fondations — en béton cette fois. Le même scénario se déroule, les ouvriers sont à la tâche et le maître d'œuvre est là presque sans relâche. S'il s'absente, parfois les ouvriers font des erreurs d'exécution des plans. Un jour, un mur portant est complètement désaxé, il faut le défaire. André dispute:

— Je ne peux pas toujours être là, vous êtes pas capables de vous servir de votre tête, *torrieu*, j'vais tous vous mettre dehors, un coup de pied au derrière.

L'anxiété le gagne. Il rumine la situation : « Moi qui ne connaissais pas la fatigue, je me demande si j'ai bien fait d'entreprendre cette deuxième maison. » Il compte recouvrir la construction avec de la brique, avant l'hiver. Un après-midi, vers quatre heures, il s'écroule. Un étourdissement, dit-il. Les ouvriers le transportent à la maison.

Le soir il n'a pas d'appétit et il se couche tôt. Monique se dit qu'il abuse de ses capacités. Cette construction lui cause trop de surmenage.

Pour lui, la nuit est longue, il se sent mal, mais il ne veut pas éveiller sa femme. Au petit jour, finalement, il lui demande d'une voix faible, qui ne lui ressemble pas :

— Je me sens mal, j'ai une douleur dans l'estomac, appelle le docteur.

Léona frappe sur le tuyau du poêle de la cuisine pour avertir Monique qui descend.

Quand enfin le médecin arrive, il ne lui faut que deux minutes pour décider de demander une ambulance. Bientôt, pour André et son entourage, ça se passe très vite comme dans un rêve. Les infirmiers de l'ambulance, deux jeunes hommes pas très gros, ne peuvent le soulever. Il faut aller chercher Robert, même le médecin collabore pour le mettre sur la civière délicatement. Il est encore costaud. Il ne se plaint pas, malgré la douleur qui le tenaille. Il est bien conscient, il souffre surtout de son état d'incapacité, il ne se reconnaît pas.

Il est parti. Le médecin revient à Léona. Elle est dans sa berceuse, elle pleure. Elle ne comprend pas ce qui se passe. Pourquoi a-t-on amené son mari ? Le médecin lui donne un sédatif et promet de venir la voir dans l'après-midi. Monique ne suit pas l'ambulance, elle ne peut laisser sa mère seule. Elle tente de la rassurer.

Robert est là, il suit le véhicule. Quand il revient deux heures plus tard, toutes les oreilles sont tendues.

— Il souffre d'angine de poitrine, il est aux soins intensifs, les visiteurs ne sont pas les bienvenus, un seul à la fois.

Le quatrième jour Monique revient de l'hôpital en disant qu'il est maintenant dans une chambre seul. Le danger est passé. L'infarctus redouté ne s'est pas produit.

De son lit de malade, son esprit créateur ne l'abandonne pas, il est parfaitement conscient. Il demande à Monique d'engager un dénommé Mailloux comme contremaître, pour finir la maison. Il séjourne près d'un mois à l'hôpital. De retour, il se remet rapidement, il n'y a pas de séquelles, seulement un sérieux avertissement.

Non seulement il a reçu un avis de prudence, mais aussi, il doit diminuer ses activités. Toute sa vie il a œuvré vers le progrès, aujourd'hui il réalise que ce temps est révolu. Il entreprend de vendre le troupeau de vaches laitières. Une liquidation qui s'égrène sur plusieurs semaines créant un vide tant dans son esprit que dans l'étable. Je vais garder les deux chevaux pour faire les foins, déclare-t-il, le cœur serré par cette démission.

Il ne se laisse pas abattre, petit à petit une routine s'installe. Il achète un petit tracteur Ford pour se véhiculer sur la ferme et dans les alentours. Il surveille ses deux maisons de rapport. De ce côté, le résultat escompté laisse à désirer, le paiement des loyers ne s'effectue pas à cent pour cent.

Depuis longtemps ce grand-père rêve de donner un endroit de baignade à sa famille, surtout à sa progéniture. Il vient d'acquérir un terrain au petit lac Magog. Son choix s'est arrêté sur un emplacement faisant partie d'un grand espace dégagé, en pente vers le lac.

Quelques semaines plus tard, il se rend à l'emplacement et découvre à sa grande surprise que le service social commence à installer un camp pour la réhabilitation des jeunes sur un lot adjacent à son terrain.

Cette nouvelle lui secoue les puces, il ne peut concevoir une cinquantaine d'enfants s'ébrouant près de son chalet. Une fois la colère passée, il entre en communication avec le service social. Après des pourparlers, il accepte de vendre son terrain à cet organisme à condition d'en trouver un autre « au bord du lac ». Finalement, il achète un autre emplacement un peu plus vaste et avec plusieurs arbres. Il s'empresse d'établir la base d'une construction, sur des blocs de ciment pour réaliser une coquille comme abri pour le reste de la saison. Ce sera un projet à long terme.

En cette année 1953, non seulement il acquiert une voiture neuve, mais au mois de novembre, le 21, il devient grand-père des jumeaux de Robert et Claire. Ce sont deux beaux garçons, Georges, dont André et Léona sont les parrain et marraine, et Omer, pour qui Jeannine, la sœur de Claire, et son mari Omer sont de cérémonie.

André aime toujours parler de politique, il commente longuement la décision du premier ministre du Québec, Maurice Duplessis, d'imposer, le 1er janvier 1954, une loi décrétant un impôt foncier de quinze pour cent. « À l'origine de notre libération économique… » persiflent les plus comiques.

Il a retrouvé sa bonne forme, il se promène aux alentours avec son tracteur. D'autre part, au printemps 1954 il s'affaire à un heureux projet, la célébration de ses noces d'or. L'idée, lancée dans la famille, est cette fois fort bien reçue, tous ses proches sont d'accord. La date est fixée au 26 juin (ils se sont mariés le 21). Monique et Marguerite sont les premières au front. Cette dernière est de retour des États-Unis et projette d'ouvrir un bureau de chiropratique rue Wellington.

L'organisation du jubilée, la réservation de la salle paroissiale, les invitations, le menu, la toilette de la mariée sont l'objet de mille tracasseries. Le marié s'occupe lui-même d'être élégant de la tête aux pieds. La réponse aux invitations est enthousiaste.

Le jour de la fête, le samedi, ils assistent à la messe à onze heures avec tous leurs invités, à la nouvelle église paroissiale, Cœur immaculé de Marie. Leur fils, le père Osias, est le célébrant, accompagné du cousin, le père James et de l'abbé Foley, curé de la paroisse, qui concélèbrent la cérémonie. L'église est remplie et les chants retentissent.

Un grand silence envahit l'assistance quand le célébrant se dirige vers les jubilaires pour obtenir le renouvellement de leurs promesses. Une vive émotion est palpable. Geste qui exprime le sens de toute leur vie, modèle de fidélité et de partage d'un amour sincère et profond. Léona et André ont respectivement soixante-treize et soixante et onze ans.

L'assistance, qui frise la centaine, se retrouve ensuite à la salle paroissiale qui, par une particularité du curé d'alors, se trouve à l'étage, question d'économie de la construction et du chauffage. André a exigé une mise en place des tables en une sorte d'éventail en queue de perdrix, de façon à ce que les convives lui fassent tous face et que chacun d'eux puisse le voir.

Tous les enfants et petits-enfants sont là, à l'exception de Charlotte et ses enfants, puisqu'elle attend son quatrième enfant incessamment.

Les religieuses, Marie-Blanche et Délia, Marguerite, Monique, Henri, Robert et son épouse Claire ainsi que quelques frères et sœurs des jubilaires sont présents. Parmi les petits enfants, on retrouve les enfants de Benoît, Thérèse, André, Louis et Louise et la fille de Robert, Esther. Les jumeaux Omer et Georges, qui auront un an en novembre, sont demeurés sous la garde de leur grand-mère maternelle.

Thérèse, la fille de Benoît qui a 12 ans, fait la lecture de l'adresse traditionnelle, un texte a l'encre dorée, sur une feuille d'écorce de bouleau, composé et réalisé par l'aînée Marie-Blanche. De plus, des menus, également sur écorce et calligraphiés en or, sont offerts à chaque convive. Des cornets remplis de fleurs des champs et suspendus à chaque fenêtre décorent la salle. Des guirlandes de fleurs courent sur la nappe et égaient la table, toujours l'œuvre de la même artiste.

Quelques jours plus tard, le 1er juillet, les « jeunes mariés » sont rendus à Campbellton en voyage de noces. Ils sont accompagnés de Marguerite et Henri. Ils sont venus raconter l'événement à Charlotte que, dans leur cœur, ils sentent bien éloignée. Ils sont accueillis dans la nouvelle demeure. Il y a de la place, avec six chambres à coucher à l'étage.

En arrivant, grand-maman est fatiguée. Elle se demande où elle est rendue. Charlotte lui offre de monter faire une sieste, mais elle refuse. De son côté, le grand-papa est alerte, il veut visiter la maison, surtout le sous-sol.

— C'est bâti comme une église, déclare-t-il.

Les voyageurs font une excursion en Gaspésie avec Serge et Nicole. Toutefois, grand-mère et la future mère se tiennent mutuellement compagnie à la maison. Ce sont des moments de douce tendresse entre Léona et Charlotte, qui sera de nouveau mère dans quelques semaines.

*

* *

Dès son retour chez lui, André constate que la nature n'a pas changé et que la saison des foins l'attend. Dès le lendemain, avec son tracteur, il manœuvre la faucheuse, il est heureux, il a une machine entre les mains et il demeure assis pour diriger les travaux. Un homme engagé travaille à la faux pour les coins accidentés. Tout se déroule promptement. Henri conduit le cheval avec le râteau pour former les *ondins*. La presse à foin de location suit les *ondins* et avale le foin qui sort en balles. De cette façon, le fourrage est prêt pour la vente. Certains acheteurs viennent même ramasser les balles sur-le-champ.

Ensuite tout l'équipement et le personnel se transportent sur l'autre terre à Ascot pour ramasser le foin dans la prairie. Deux voisins demandent à André de presser leur récolte de foin. Ce dernier accepte et s'assure ainsi le financement de toute l'opération, mais il finit par se sentir fatigué.

Ils apprendront un mois plus tard, le 4 août 1954, la naissance de Martin à Campbellton. Au téléphone, Fernand déclare :

— Nous avons un beau gros garçon de huit livres, il est arrivé mercredi. La religieuse infirmière à l'hôpital nous affirme qu'il sera roux et qu'il aura un teint clair et les yeux bleus. L'oncle Henri et tante Marguerite sont les parrain et marraine.

Plus tard, il aura une chevelure d'un roux doré et légèrement ondulée, qui fera l'envie de bien des filles, pense la maman.

Ses activités ont diminué, mais André n'en est pas moins actif. Depuis 1948 une nouvelle paroisse est fondée et une nouvelle église est érigée rue du Conseil. À ce moment André et sa famille doivent quitter la paroisse Sainte-Famille pour devenir membres de la nouvelle paroisse Cœur immaculé de Marie.

Comme depuis toujours et comme il se doit, les nouveaux paroissiens se dévouent à l'instauration du financement de l'établissement. André assiste aux parties de cartes, lui qui n'a jamais pratiqué ce passe-temps. Les discussions avec ses partenaires tiennent presque de la fable.

Dans l'église, le curé a fait installer au fond du chœur une imposante statue de la Vierge. André considère que cette statue en pied n'est pas suffisamment en évidence. Alors il convainc son pasteur d'y ajouter un diadème électrifié de sept lumières, à ses frais. Aujourd'hui, cette décoration le rappelle à la postérité.

Ce zélé paroissien devient membre d'un comité de bienfaisance. Il visite les pauvres, il est prêt à donner sa chemise. Un après-midi, il reçoit un téléphone l'informant qu'il a gagné cinq dollars, dans un tirage.

— Sais-tu, ma femme, ce matin j'ai amené un petit garçon au magasin et je lui ai acheté des chaussures, c'était cinq dollars. La Providence vient de me rembourser.

Un matin, il travaille dans ses ruches d'abeilles. Thérèse et le jeune André passent près de lui et s'en vont vers la grange. Les deux enfants, surtout Thérèse, sont continuellement autour de leur grand-papa. Depuis 1950, cette dernière est pensionnaire au couvent des sœurs des Saints Noms de Jésus et Marie à Saint-Lambert, mais quand arrivent les vacances, elle en profite bien.

Tout à coup, grand-papa entend un grand bruit près de la grange. Ce qu'il voit ne le surprend pas vraiment, car c'est lui qui lui a enseigné. Thérèse est au volant du tracteur sur le chemin secondaire. En sortant de l'entrée du terrain, elle n'a pas maîtrisé la manœuvre et le tracteur a embouti un camion. Le tracteur n'est pas endommagé, mais il faudra réparer le camion. La semaine suivante, on verra encore Thérèse sur le tracteur.

Bientôt, il faut ramasser les pommes. Hier il a fait un tour dans le verger et constaté, en pomiculteur averti, que les fruits sont très beaux cette année. Ce matin, il se promène dans le verger, la remorque attachée à son tracteur chargée de barils. Il vit un moment de grande satisfaction. La réalisation d'un rêve qu'il a caressé toute sa vie. D'année en année il a cajolé ses pommiers.

La saison avance, il faut aussi extraire le miel, il procède à une petite inspection et constate que les ruches sont remplies. Cette fois, il compte sur Monique pour exécuter cette tâche. Il profite du samedi, elle ne travaille pas au garage, où elle exécute la tenue de livres, pour sortir l'extracteur. Il faut la journée pour en venir à bout, mais le résultat est merveilleux. Le nectar est accumulé dans des boîtes en métal, antérieurement destinées au café.

Quand arrive le temps des fêtes, il n'y a pas un brin de neige sur la terre au Nouveau-Brunswick et la Baie-des-Chaleurs n'est pas gelée. Charlotte écrit : « Si ça continue, nous pourrions venir à Noël. » Cette nouvelle enchante toute la famille, mais l'enchantement est de courte durée. Le 22 décembre une bordée de neige considérable met fin à ce rêve. De part et d'autre l'espoir s'évanouit. Charlotte téléphone :

— Nous n'irons pas, il est tombé un pied de neige.

Monique sent un tremblement dans sa voix.

Elle emballe les cadeaux et les friandises qui attendaient la famille. À Campbellton, le Père Noël sera en retard. Jamais plus il ne sera question de faire ce voyage aux fêtes. L'arbre de Noël, que Fernand va chercher en montagne, est toujours là à temps.

À l'été, c'est une autre histoire. Pendant les vacances, Fernand répond au désir de Charlotte d'aller chez ses parents.

À la date prévue, c'est une véritable expédition à préparer, mais la maman s'organise en conséquence. Elle prépare une petite valise pour chacun des trois plus grands. Serge veut collaborer :

— Maman, est-ce que j'apporte mon maillot de bain ? demande-t-il.

Il a eu sept ans en juin et il aime bien aider sa maman.

— Oui certainement, nous irons probablement au nouveau chalet de grand-papa.

Les petites filles parlent de leur toilette, elles veulent mettre leur belle robe. Nicole a cinq ans.

— Je peux apporter ma poupée ? demande Claudine. Elle a trois ans.

Bientôt, Fernand entasse les bagages dans le coffre de la voiture, des sacs de couches et de serviettes pour le bébé, une boîte à glace pour le lunch et les biberons et le lait pour les autres, etc.

— Tu en apportes beaucoup trop, déclare son mari.

— Je ne peux pas faire autrement, tout est nécessaire, affirme la mère.

Il passe neuf heures quand le navire quitte ses amarres. En arrière, les enfants ont chacun un livre d'histoire et Charlotte tient le bébé Martin sur elle. En passant à Causapscal, arrêt chez grand-papa pour les pipis. Plus loin on arrive à Sainte-Flavie, le fleuve apparaît. Oh ! font les enfants.

— C'est le fleuve Saint-Laurent, dit Fernand, c'est immense, on ne voit pas de l'autre côté.

— Qu'est-ce qu'il y a de l'autre côté ? demande Serge.

— Il y a des montagnes et beaucoup de forêt.

— Il n'y a pas de monde ? demande le gamin.

— Oui, il y a des villages, comme à Saint-François, chez ton oncle Raymond.

Quelques milles plus loin, une petite voix se manifeste :

— Maman, j'ai faim.

Charlotte plonge la main dans un grand sac à ses genoux :

— Tenez, j'ai apporté des craquelins. Ce n'est pas salissant, dit-elle à l'intention de son mari, le bébé dort encore.

Rendu à Rimouski le chauffeur voit une table de pique-nique près d'un dépanneur et décide d'arrêter. Ce n'est pas long, tout le monde est à terre. Il y a un petit parc en arrière, un espace pour tous les petits besoins. Fernand sort la glacière et une nappe du grand sac de Charlotte. Les sandwiches, les biscuits et les pommes sont engouffrés avec un verre de lait. Après avoir été changé, Martin est installé sur une couverture sur l'herbe avec son biberon, il a bon appétit. Pour continuer le voyage, Charlotte installe Martin entre Serge et Nicole sur le siège arrière pour se reposer les bras.

Plus de cent milles plus loin, en passant à Saint-Roch-des-Aulnaies, une importante fromagerie affiche « crottes de fromage ». Fernand en achète un sac et le voyage continue en chantant, toujours sur la route 132.

Après Québec, il faut faire une halte, plusieurs besoins à satisfaire, Martin pleure et il faut prendre de l'essence. Il y a des tables et des toilettes. Fernand sort la glacière et le pique-nique se continue. Il se procure un café dans une distributrice et grille une cigarette.

La maman a repris le bébé et les petites filles font un somme, Serge lit son histoire. À Drummondville il faut bifurquer vers Sherbrooke. Bientôt les enfants commencent à demander combien il reste de milles.

— Environ cinquante, dit Fernand.

— C'est beaucoup ? demande Nicole.

— Oui, c'est beaucoup, mais moins que ce matin, dit Fernand en riant.

Puis c'est vingt-cinq milles... vingt, quinze, dix, cinq et on arrive. Il est sept heures du soir. Toute la maisonnée est dehors pour les accueillir. Charlotte est un peu émue, ils sont fatigués mais bien contents. Une dizaine de jours à folâtrer, à rencontrer la parenté, les amies d'enfance de la jeune mère de famille. Ils reviennent tout joyeux, les enfants sont bons voyageurs.

Quand arrive l'automne, une fois les pommes ramassées et le miel récupéré grand-papa songe à ses petits enfants éloignés, et déclare :

— Ma femme, il faut absolument que j'aille porter des pommes et du miel à Charlotte. Sais-tu, elle commence à avoir une grande famille et elle est encore jeune. Je me demande qui pourrait venir avec nous, le docteur m'a dit de ne pas conduire longtemps.

Il en parle à Monique.

— Le travail est intense au garage, le propriétaire envisage d'agrandir et il faudra que je surveille, je ne peux pas partir pour le moment.

Quand Robert vient faire son tour le matin, son père tente une démarche et lui parle de son projet. Mais ce dernier réplique qu'il n'a aucun congé de disponible. L'automne, il y a toujours de l'engorgement dans la cour de triage.

André continue de songer, il ne laisse pas tomber une idée aussi intéressante. Il monologue devant Léona.

— Avec ma nouvelle Oldsmobile, je me sens très confortable, ça ne me fatigue pas de conduire. Nous allons amener ta sœur Marie-Rose, elle est un peu plus jeune et elle pourrait nous aider, s'il arrivait quelque chose.

Il a soixante-douze ans et Marie-Rose seulement soixante-neuf...

Bientôt, ils arrivent à Campbellton comme des jeunesses, sauf grand-maman. Charlotte l'entoure du mieux qu'elle peut.

— À quelle place qu'on est rendus ? lui demande sa mère...

Après une longue explication, cette dernière se sent un peu rassurée.

Le lendemain matin les enfants partent pour l'école. Serge et Nicole vont à l'académie Sainte-Marie et Claudine à la maternelle privée de madame Leblanc. Grand-papa veut prendre le petit Martin, il est dans sa chaise Baby Thenda, mais, malheur, l'enfant se met à hurler. Le grand-père ne se laisse pas impressionner. Il parle à l'enfant, lui présente ses clefs, il recommence sa cour et à la fin de la matinée il peut prendre le bébé.

Dans l'après-midi, Léona arrive dans la cuisine en disant :

— Je veux m'en aller chez nous. Où est André ?

— Il est dehors, il regarde les pommiers, venez voir.

Elles sortent en arrière de la maison avec Marie-Rose et font une petite promenade. Le terrain se prolonge et se développe en un petit verger de quatre pommiers. Léona n'est pas très solide, Charlotte lui donne le bras et les trois femmes vont s'asseoir sur la galerie, qui borde la façade de la maison.

— Oh! les beaux liards, s'exclame Léona, en admirant les quatre arbres géants, de près de cent pieds, qui ornent la bordure du terrain du côté de la rue.

— Nous ne savions pas quelle sorte d'arbres c'était, dit Charlotte.

Le lundi matin André descend dans la cuisine en déclarant:

— Il faut absolument partir aujourd'hui, Léona est au désespoir, elle veut s'en aller. De toute façon, je ne voulais pas voyager en fin de semaine et là c'est assez. Marie-Rose et Charlotte montent faire les valises et, après le déjeuner, ils partent.

— C'est court dit Charlotte, mais ç'a été bien beau.

*

* *

L'automne suivant, le voyage se répète, devant le succès de son excursion précédente, André s'enhardit. Toutefois, les pommes et le miel ne sont pas la raison principale du voyage qui est de voir le dernier bébé chez Fernand et Charlotte. Ils trouvent un beau garçon au teint clair, né le mardi 11 septembre 1956. Il a déjà reçu le baptême sous le prénom de Laurent et son oncle Raymond et son épouse Thérèse, de Saint-François-d'Assise, ont accepté le rôle de parrain et marraine.

Grand entrepreneur, André n'a pourtant jamais accepté de monter en avion. Il se sent tout remué quand l'ère de l'exploration spatiale commence et qu'un satellite du nom de *Spoutnik* est lancé par l'Union soviétique en 1957. Il est fidèle au « plancher des vaches ». À chaque début de mois, il se rend chez ses locataires, mais le résultat financier laisse à désirer. Les occupants sont loin d'être fidèles à leur engagement. L'un donne un acompte, l'autre paiera demain, une autre donne un petit montant sur le prix du loyer du mois précédent, une petite femme seule avec deux enfants n'a pas d'argent. Revenu à la maison, il lui envoie par Thérèse et son petit frère André du lait et du pain.

Au début d'avril 1958, il y a de l'agitation dans l'air, les vieux attendent leur petit franciscain, comme ils l'appellent, qui a près de six pieds ! Il ne vient pas souvent. En arrivant, comme toujours, Adrien bénit ses parents.

— J'ai une grande nouvelle à vous annoncer : je suis nommé au Nouveau-Brunswick, à la réserve indienne des Maliseet. C'est près de Perth et non loin de la frontière avec les États-Unis. La rivière Saint-Jean baigne le territoire, paraît-il que les Amérindiens pêchent de beaux saumons.

— Comment se fait-il que tu es nommé là ? demande André. Ce n'est pas ta province communautaire.

— C'est vrai, mais j'ai demandé à aller en mission et c'est une mission pour moi.

— Seras-tu près de chez Charlotte ?

— Plus ou moins, elle est au nord de la province.

Il doit bien y avoir au moins deux cents milles entre les deux endroits.

La vie de grand-père avec ses enfants et petits-enfants donne parfois lieu à des bouleversements. Deux mois plus tard, Jacqueline vient voir son beau-père pour lui annoncer que Thérèse veut se marier. Elle n'a que seize ans et René, le garçon qu'elle fréquente, en a seulement quatre de plus.

— Je vais leur parler, dit-il.

Thérèse vient le voir toute seule. Son pépère lui parle de son âge et de la gravité du mariage. Il la convainc d'attendre encore un an.

Une semaine plus tard, c'est le prétendant qui accoste André, qui travaille dans les pommiers.

Il n'est pas d'accord pour attendre un an :

— Je respecte Thérèse, je sais qu'elle est jeune, je vais avoir vingt et un ans au mois de juillet et je suis prêt à me marier. J'ai du travail.

André songe que lui-même a attendu sa majorité pour se marier. Il admire la détermination du jeune homme. Dans la famille, les aînées lancent les hauts cris. De nouveau, le grand-père rencontre la mère de Thérèse pour régler la question.

— Le jeune homme a l'air sérieux, je pense qu'il ne serait pas sage de s'objecter à cette union, dit-il.

— Si son père vivait, il saurait quoi faire, répond la jeune femme la larme à l'œil.

L'organisation du mariage est lancée, ils se marieront le samedi 5 juillet, jour de l'anniversaire de René en 1958.

La nouvelle parvient au Nouveau-Brunswick. Fernand et Charlotte sont dans l'impossibilité d'assister à la cérémonie. Sans hésiter, Charlotte prend la décision, que Fernand accepte plus ou moins, de déléguer Serge et Nicole au mariage. Serge est bien sérieux pour son âge, il a eu dix ans en juin, il rêve de voyages, il a lu Jules Verne et aussi il s'est toujours considéré le « grand frère » protecteur de Nicole. Elle a huit ans.

Après des préparatifs méticuleux, Charlotte vient les déposer sur le train du Canadien National, qui part à 8 h 20 vers Montréal. Elle remet les billets à son fils et confie les enfants au conducteur en expliquant le voyage qu'ils doivent effectuer. Il y a aura un changement de train à Charny, près de Québec. Les enfants sont pimpants, Serge endosse son veston et son pantalon avec autorité en tenant sa valise, le sac à lunch et les billets. Il a aussi de l'argent dans la poche de son veston, c'est un vrai petit homme. Nicole porte une jolie robe en soie taffetas fuchsia et un mignon petit chapeau de paille beige avec une garniture de dentelle, elle a même dans sa valise des gants assortis.

Serge remarque une petite affiche : « Watch the children ». Il est aussi intrigué par les petits bouts de carton de couleur que le conducteur place dans la fenêtre de chaque banquette et dont la couleur varie d'un siège à l'autre. Le train arrête à chaque village de la vallée de la Matapédia et après plusieurs arrêts, Serge constate que le conducteur enlève certains petits cartons avant chaque arrêt et avertit les gens qu'ils descendent à la prochaine gare.

Quand le train entre en gare à Charny le conducteur vient les voir. Nicole a les yeux grands comme des piastres en regardant le conducteur d'un regard affolé, ce dernier à son tour regarde Serge qui semble avoir perdu sa belle assurance :

— Je ne sais plus où sont les billets, j'ai regardé partout dans mes poches, dans ma valise, à terre…

L'homme ouvre le sac à lunch, les billets sont là.

À la fin de l'après-midi, leur tante Monique les accueille à la gare de Sherbrooke.

Quand arrive le grand jour, Thérèse apparaît, ravissante, dans une robe blanche de tulle brodé parsemé d'appliqués de dentelle. Son voile, retenu par un diadème, est enjolivé avec les mêmes appliqués de dentelle que ceux de la robe. Le futur marié, dans sa grande tenue, est à la hauteur des circonstances en compagnie de son père. Bientôt grand-papa André s'avance avec sa chère petite-fille à son bras, il lui servira de père en l'église Cœur Immaculé de Marie.

La maman Jacqueline ne peut retenir quelques larmes au moment des vœux, mais la fête continue. Toute l'assistance, une centaine de personnes, se transporte à Deauville, près du petit lac Magog, au Manoir du Lac pour le dîner, suivi de la danse qui se prolonge joyeusement jusque dans la soirée.

Quelques jours plus tard, tante Marguerite et oncle Henri ramènent les enfants à Campbellton. Ils n'ont pas eu l'audace de remettre leurs neveu et nièce sur le train.

Après leur départ, les souvenirs continuent d'affluer dans l'esprit de Serge et Nicole. Cette dernière déclare qu'elle a remarqué qu'un monsieur portait le bracelet de tante Marguerite, elle trouve cela étrange et veut une explication.

— Ce doit être un grand ami, lui dit sa mère.

L'hiver tire à sa fin et le 23 mars 1959 marquera le début de la soixante-seizième année d'André qui constate qu'il a vécu trois quarts de siècle.

— Chaque nouvelle année est un cadeau du ciel, aime-t-il à répéter.

Cette année, cet anniversaire fait jaser… il y a deux événements particuliers qui créent un mystère autour de la date de cet anniversaire à venir. Charlotte attend un enfant à la fin de mars, de même que Thérèse. Ces bébés naîtront-ils le 23 mars comme leur grand-père ?

La première grande nouvelle arrive le 21 mars, alors que Thérèse donne naissance à son premier enfant, une fille, que son père René fait baptiser sous le prénom de Manon. Elle marque la quatrième génération d'André et Léona.

Le lendemain de l'anniversaire du grand-père, arrive du Nouveau-Brunswick la nouvelle qu'un garçon est né le 24, à Charlotte et Fernand. Aucun des deux bébés n'est né le 23, mais bien près.

Au téléphone, Fernand est fier de confirmer que le bébé a vu le jour le mardi, à dix-huit heures, en excellente santé. Il sera baptisé le dimanche suivant, jour de Pâques, sous le nom de Bruno. Son oncle Robert et son épouse Claire arrivent de Sherbrooke pour assumer le rôle de parrain et marraine. Sa tante Jeanne-d'Arc, d'Amqui, est la porteuse.

Au cours du mois il avait neigé presque tous les jours et le cortège de retour du baptême marche sur un banc de neige à la hauteur de la galerie, qui est à six pieds de terre. Charlotte est de retour de l'hôpital, les mères y restent de moins en moins longtemps. Elle accueille tout son monde en grandes pompes.

De retour de la cérémonie baptismale, en entrant, l'oncle Georges raconte :

— Il n'y avait pas moins de dix baptêmes à la même heure et l'eau baptismale débordait des fonts et coulait à terre et le curé a eu de la difficulté avec le nom de la mère !

*

* *

Au début de mai, le vieux se lève comme un jeune en disant à sa femme :

— Ce matin, il faut que j'arrose les pommiers, avant que les fleurs ouvrent, je vais profiter du beau temps.

Après son déjeuner il endosse sa veste de mouton, il sait que la brise reste fraîche. Une fois la petite remorque attachée, il y installe le nécessaire, la poudre insecticide, l'eau pour la délayer, la pompe à air, munie d'une lance, et un sécateur. Il monte sur son tracteur, qui est tout près dans le hangar.

Il se dirige vers le verger. Il charge la pompe d'air et de liquide et commence l'arrosage debout dans son tracteur. Bientôt il avance à un deuxième arbre, il y en a quinze, il se sent bien, il est plein d'entrain. Un peu plus loin, il décide de descendre pour couper une petite branche, qu'il juge nuisible.

Entre-temps, Thérèse, qui demeure tout près, regarde souvent du côté de son grand-père, elle l'a vu se diriger vers les pommiers. Quand, un peu plus tard, elle regarde de nouveau, elle se rend compte qu'elle ne le voit plus. « Je vais aller voir », se dit-elle. Ce qu'elle voit la stupéfiait. Son cher pépère ne bouge pas, il s'est affaissé le visage contre terre. Elle tente de le retourner, mais il est trop lourd. Elle court à la maison et prend le téléphone pour ameuter tout le voisinage. Monique au garage, son mari au magasin de meubles, l'oncle Robert, il faut du monde pour le ramasser, se dit-elle.

Tout l'entourage accourt. Monique et Robert réussissent à le retourner sur le dos, une blessure au front indique qu'il est tombé violemment, il est inconscient.

— Il faudrait un brancard pour le ramasser, dit Monique, je vais appeler l'ambulance. En regardant Thérèse, elle ajoute : viens à la maison chercher une couverture pour le couvrir.

Quelques minutes plus tard, il gît sur une civière, pâle et inconscient. Une dizaine de personnes des alentours sont là, elles le connaissent : il est le patriarche. Depuis près de quarante ans il domine sur ces terres. Il en connaît le cadastre, les limites et même les entrailles, les courants d'eau souterrains, l'élévation qui se trouve à l'égalité de la base du mont Orford à l'horizon ouest, dominant ainsi toute la vallée de la ville de Sherbrooke.

Six hommes soulèvent la civière. Le terrain est raboteux, ils ont de la difficulté à garder leur fardeau en position stable. Quand le groupe arrive près de l'ambulance, Léona est là, elle est sortie en entendant arriver le véhicule. Elle est là en robe de nuit, sans chandail, ses beaux cheveux blancs, un peu épars, mais retenus en une tresse. Une tresse qu'elle a effectuée tous les soirs de sa vie avant de se mettre au lit. En voyant arriver les porteurs, elle s'écrie : « André est mort ! » et elle court dans la maison.

Monique la suit :

— Non, non maman, il n'est pas mort, il est sans connaissance, il s'en va à l'hôpital.

Elle habille sa mère en lui parlant et l'assoie dans sa berceuse. Elle vaque aux travaux domestiques. Au bout d'une heure, sa mère répète : « André est mort. »

Deux heures plus tard, quand Robert revient de l'hôpital, il affirme :

— Il est aux soins intensifs, il semblait reprendre connaissance. Le médecin n'a pas voulu se prononcer, il est dans un état critique. Il craint l'embolie, il faut attendre trois jours.

Commence alors la ronde des visites à l'hôpital. L'accident cérébro-vasculaire est confirmé, son côté gauche est paralysé, mais il est parfaitement conscient et se montre très exigeant.

Il se plaint du service, trop lent :

— Je sonne, il ne vient personne, j'attends des heures. La nourriture n'est pas mangeable.

Le personnel se rend compte qu'il n'a pas été malade souvent, il ne connaît pas la patience que donne l'expérience.

Au bout d'une quinzaine de jours, il demande son transfert dans un autre hôpital. Robert fait les démarches nécessaires pour l'admettre à l'Hôtel-Dieu.

Le vieux manifeste une certaine satisfaction pendant une dizaine de jours, mais alors recommencent les litanies de plaintes, jusqu'au médecin qu'il n'aime pas.

— Je veux retourner à l'hôpital Saint-Vincent-de-Paul.

Robert s'exécute encore une fois. Pendant ce temps les jours s'égrainent. Son père n'accepte pas son état, mais il a encore beaucoup d'énergie à dépenser.

— Vous êtes fort comme un ours, lui dit son médecin.

— Je veux m'en aller chez nous, lui répond son patient.

En prenant le dossier suspendu au pied du lit, le praticien conclut :

— Vous êtes ici depuis plus d'un mois, les dangers de rechute sont passés, je vais voir ce que je peux faire.

Deux jours plus tard il arrive à la maison, les brancardiers ont toutes les misères du monde à le rendre à son lit, il ne semble pas avoir perdu une once.

Sa femme et sa fille s'évertuent à l'accueillir chaleureusement. À l'heure du repas, Monique sort la table de lit, qui existe dans la famille depuis la maladie de Marguerite. Léona lui sert un repas, pommes de terre, carottes, omelette et pain. Il dévore son repas d'un appétit de Gargantua.

Le lendemain matin, il veut se glisser sur la chaise à proximité de son lit pour uriner dans son un pot de chambre. Il ne réussit pas et se retrouve sur le plancher, l'urine se répand, il dispute, tempête, exécute des tours de force avec ses bras, mais il reste cloué au sol.

Quand arrivent Robert et René, le mari de Thérèse, pour le ramasser, il pleure. Il réalise que son calvaire vient de commencer. Dorénavant, les hommes de l'entourage se relayeront pour venir l'asseoir sur les toilettes durant la matinée.

Sa chambre à coucher se trouve dans la partie arrière de la maison. De la fenêtre à côté de son lit le malade ne voit à peu près rien à l'extérieur.

— Je veux aller dans la cuisine.

C'est une bonne idée, se dit Monique.

— Papa, nous allons louer un lit d'hôpital et vous installer près de la fenêtre du côté de l'entrée, vous pourrez voir le chemin et les arrivants.

Ainsi la situation est largement améliorée de même que l'humeur du malade. La routine s'installe.

Quelques semaines plus tard, Marguerite arrive de Montréal pour travailler à la préparation de son mariage, prévu pour le 27 juin 1959. Elle et Florian, son futur, se fréquentent depuis plus d'un an. C'était le grand ami que Nicole avait remarqué au mariage de Thérèse.

Le samedi de l'événement la cérémonie se déroule à l'église Cœur immaculé à onze heures. La mariée est accompagnée par son frère Henri, qui remplace André, et lui sert de père. Un frère de Florian lui sert de témoin. Il s'agit d'un mariage intime, mais une trentaine de parents et amis sont présents.

La mariée est charmante dans sa jolie robe style empereur, un fourreau de couleur mauve, enjolivé de dentelle de même teinte. Un léger voile court agrémenté d'appliqués, rappelant la dentelle de la robe, et un bouquet de *forget me not* complètent sa toilette. Sur la photo souvenir, l'œillet à la boutonnière, le marié et les témoins arborent leur plus beau sourire.

À la maison, pendant la cérémonie, sœur Marie-Blanche tient compagnie à son père alité et garde un œil ouvert sur les enfants demeurés sous sa garde, tout en débarrassant les reliefs du petit déjeuner. Le logis sera prêt pour la réception, prévue à la maison paternelle en toute simplicité, ce qui permettra à grand-papa d'y assister. À l'arrivée des mariés et de leur cortège, il pleure.

À la fin de l'après-midi les mariés en tenue très chic sont photographiés près des pivoines devant la maison. Ils partent en voyage de noces vers les États-Unis.

Bientôt, André peut se réjouir dans sa détresse. Claire, l'épouse de Robert, donne naissance à une mignonne petite fille, le 14 décembre 1959. Elle est blonde aux yeux bleus et toute la famille s'accorde à dire qu'elle ressemble à sa grand-mère. Marguerite et son mari Florian sont les parrain et marraine.

En parlant de la vie quotidienne, Robert raconte plus tard : « Comme nos trois plus vieux étaient d'âge à aller à la messe, je portais le bébé sur le lit de mon père pendant notre absence à l'église. »

Le 23 mai 1960 une nouvelle naissance vient réjouir le cœur d'André. Thérèse lui donne un nouveau fleuron de sa quatrième génération, une petite fille baptisée Carolle.

À l'été, la famille de Charlotte et Fernand vient rendre visite au grand malade. En arrivant, Thérèse vient les rencontrer, elle place sa fille Manon près de son petit-cousin Bruno. Ils ont le même âge, nés en mars 1959 tous les deux. Le rapprochement s'effectue allègrement, la petite, mignonne et délicate, très agile sur ses deux jambes, vient embrasser le petit garçon, bien bâti et plutôt patapouf. La scène amuse tout le monde et restera dans les annales familiales.

Tour à tour, les six enfants viennent embrasser leur grand-père avec une certaine gêne. Il faut leur expliquer qu'il est malade. Le lendemain, la marmaille et leurs parents se retirent au chalet pour quelques jours.

*

* *

La neige et le beau temps marquent les saisons. Robert vient souvent faire un tour, son père a toujours des recommandations à donner et des services à faire exécuter. Il veut savoir comment ça se passe dans les deux maisons de rapport. Les mois passent et l'arrivée de la neige jette un voile de nostalgie sur les jours.

Le printemps précoce de 1961 surprend la maisonnée. Demain, Adrien viendra donner sa bénédiction à André qui a hâte. Depuis que lui aussi est au Nouveau-Brunswick, au village indien malécite, son petit franciscain ne vient pas souvent. La nouvelle apporte un peu de calme à sa douleur et un peu de résignation à son cœur.

À peine dix heures et il entend le son de la camionnette de son fils. Le voici, c'est un lève tôt. La pièce entière semble s'éclairer. Léona est à la porte, elle tremble de joie et André, tout ému, serre la main du père Louis. Ce dernier explique que les Maliseets ne pouvaient prononcer son nom d'ordination, père Osias, et qu'il a obtenu de sa communauté de changer son nom.

André espérait connaître un regain de vigueur, comme à la suite de sa première attaque, mais il avoue à son fils qu'il ne ressent aucune amélioration et que le temps est bien long, alité sans fin.

— Je me sens comme Job, mais je n'ai pas sa résignation.

— Vous avez raison, il vous faut beaucoup de courage. Demandez au Seigneur de vous aider. Demain matin je vous apporterai la communion.

Les visites quotidiennes des jours suivants changent un peu l'atmosphère de la maison. Les journées sont moins longues. Mais aujourd'hui, le temps est très beau et le père Louis vient faire ses adieux, il doit être de retour à Maliseet pour dimanche. Il arrête chez ses parents en passant.

— Au revoir, je prie pour vous, et il leur donne sa bénédiction.

Un matin, André s'égosille tant qu'il peut de sa voix oppressée pour appeler Monique. Cette dernière descend.

— Ta mère est sortie en jaquette.

Elle attrape un manteau en passant et sort. Elle entend des klaxons venant de la grand-route, elle court. Elle trouve sa mère au milieu de la voie, les voitures roulent à toute vitesse dans les deux sens.

Il lui faut insister pour extirper cette femme de ce tourbillon de danger. Elle lui explique :

— Maman, vous n'êtes pas habillée pour aller en voyage, et elle lui promet encore une fois de l'emmener à Moes' River.

À leur retour, André pleure d'inquiétude et d'impuissance. Il ressent lourdement les effets de son état, lui qui était si fier et si fort.

Depuis quelque temps, Florian prête main-forte grâce à ses talents de menuisier pour exécuter une armoire dans la salle de bain à l'étage. Forcément, il demeure avec les vieux. Une nuit, André fait un cauchemar. Dans son délire, il voit un homme pénétrer dans la chambre de sa femme. Au matin, pour lui, c'est une réalité. Il questionne, il accuse, il tempête. Rien ne peut le raisonner. La fièvre l'envahit et il faut appeler le médecin. En fin de semaine, Marguerite vient de Montréal et elle y ramène son mari.

Le médecin qui surveille ce malade depuis près de deux ans considère que la situation devient intolérable. Les deux vieux sont seuls durant la journée, pendant que Monique est à son travail. Il rencontre cette dernière.

— L'état de vos parents se détériore. Votre mère tente de faire des choses qui affolent votre père. Il craint qu'elle mette le feu. Il faut les placer.

Monique est effondrée, elle sait que son père a toujours prôné son horreur de l'hospice et jeté l'anathème sur les enfants qui placent leurs parents. Tous les enfants ont maintes fois entendu ses vigoureux sermons sur le sujet. D'autre part, se dit-elle, je ne peux arrêter de travailler à l'extérieur, c'est le seul revenu pour le ménage.

Elle promet au médecin de lui en parler. Peut-être Adrien pourrait-il exhorter son père à consentir à cette éventualité, mais il vient de venir du Nouveau-Brunwick. Un soir, elle aborde le sujet indirectement :

— C'est bien difficile de vous laisser seuls entre les repas. Maman veut toujours entreprendre de faire cuire quelque chose, même si je lui répète de ne rien faire. Elle a brûlé un chaudron l'autre jour, son état psychologique se détériore toujours un peu plus. Que faire ?

Sa déclaration reste lettre morte.

Quelques semaines plus tard, le médecin insiste et convainc son patient de tenter l'expérience pour quelque temps...

— J'ai retenu des places pour vous deux, si vous voulez.

André consent pour quelque temps... mais au fond de lui-même, il doute bien de ce « quelque temps ». L'ambulance vient le chercher, il pleure. Il faut convaincre sa femme de le suivre. Monique les regarde partir, elle aussi pleure.

Le soir, elle se rend à l'hôpital de soins prolongés, à l'autre extrémité de la ville. Elle les retrouve, elle au troisième et lui au rez-de-chaussée. Il dit, d'un ton amer :

— Ils n'ont pas de cœur de séparer deux vieux comme ça.

André est encore tourmenté pour sa chère Léona. Il devient un peu confus avec le déménagement, mais à d'autres moments il est bien conscient. Son état lui est insupportable, il ne l'accepte pas, c'est dans sa maison avec sa femme qu'il veut mourir. Il s'agite, veut se lever et tombe en bas de son lit.

Deux infirmiers et une infirmière réussissent à le hisser de nouveau sur son lit. Il y tombe comme une pierre et des larmes coulent.

— Monsieur, nous allons vous conduire en chaise roulante voir votre femme. Vous pourrez constater comme elle est bien.

Robert arrête voir ses parents presque tous les jours après son travail, c'est un peu sur son chemin. De son côté, Monique et les autres membres de la famille les visitent régulièrement. Chacun s'efforce de répondre à leurs besoins, mais les circonstances demeurent pénibles.

Souvent, André raconte ses cauchemars au sujet de sa femme. Il est tourmenté, c'est un calvaire. Un jour, il dit à Robert :

— Tous les médecins passent sur elle en haut.

Si André savait que sa belle Léona a tenté de fuguer à deux reprises et que présentement des liens la retiennent à son lit...

Les choses ne s'améliorent pas. Un soir, Monique trouve son père dans un lit au ras du sol avec deux barrières protectrices. Il est dans un parc comme un bébé. L'infirmière explique qu'il est de nouveau tombé en bas de son lit.

Au mois de février les choses se gâtent encore plus. Le père Louis et Charlotte sont avisés que leur mère a subi une hémorragie cérébrale et que sa vie est en danger. Il faut venir. Le missionnaire et sa sœur n'hésitent pas. Cette dernière n'a pas vu ses parents depuis qu'ils sont hospitalisés. Au téléphone, le religieux déclare à sa sœur qu'il partira le lendemain avec sa camionnette. Fernand conduit Charlotte à Maliseet, elle fera le voyage avec son frère.

En arrivant à Sherbrooke, le père Louis se rend directement à l'hôpital, après avoir laissé sa sœur à la maison paternelle.

— Pas de changements, lui assure Monique.

Le lendemain après-midi, Robert conduit Charlotte à l'hôpital. Elle trouve sa mère inconsciente. Elle lui prend la main et lui murmure son nom tout près de son oreille. À sa grande surprise, elle ressent une légère pression dans la main de la malade. Elle en conclut que sa mère l'a reconnue. L'émotion la submerge.

Ensuite, elle se rend au rez-de-chaussée où elle découvre un être dans un piteux état de dénuement. Elle l'embrasse, les larmes coulent de part et d'autre. Un seul mot sort de son étreinte : « papa ».

— Je suis allée voir maman, vous savez qu'elle est au plus mal.

D'un signe de tête, il dit oui.

— Ils me l'ont dit, Adrien est venu hier soir. Il est revenu ce matin.

Depuis près de deux semaines, Charlotte consacre tous ses après-midi auprès de sa mère. Jusqu'à présent, cette dernière était recroquevillée dans son lit, mais aujourd'hui elle est complètement détendue, la bouche entrouverte et desséchée. Sa fille y applique un tampon humide qui se trouve sur la table de chevet. La malade réagit immédiatement dans un réflexe d'aspiration, à la grande surprise de Charlotte.

Elle s'installe près de sa maman, elle lui parle et commence à réciter les Pater du Tiers-Ordre franciscain, comme sa mère le faisait tous les jours. Léona et André ont été fidèles à cette dévotion depuis plus de trente ans. Le quatrième dimanche du mois, durant l'après-midi, ils assistaient à la rencontre de cette confrérie à l'église.

L'après-midi s'effiloche, Charlotte continue à éponger les lèvres de sa mère. Elle redresse sa tête, tombée de côté, d'une façon inconfortable. Soudain, un long soupir l'agite et elle retombe.

Quelques minutes plus tard, il faut qu'elle la quitte. Robert lui a donné rendez-vous à dix-huit heures à la porte de l'hôpital pour la ramener à la maison, comme les autres jours.

En arrivant à la maison, Monique leur dit :

— Maman est morte, la religieuse qui a téléphoné a dit que vous veniez juste de partir quand elle est entrée dans la chambre et a constaté le décès.

Charlotte réalise qu'elle a vu son dernier soupir. C'est le lundi 19 février 1962, elle avait quatre-vingt-un an et un mois. Elle était née le 21 janvier 1881.

La défunte est exposée dans un salon de l'hôpital, dans son costume de terciaire, tunique marron, voile noir et cordon blanc à la taille. Ses cheveux d'un blanc pur accentuent son air de sérénité. Elle est belle.

Sœur Marie-Blanche retrouve son père le lendemain matin et l'invite à venir voir sa femme, mais il refuse.

— Vous savez, elle est belle, maman.

— Elle a toujours été belle, lui répond-il.

— Il n'y a personne d'autre au salon dans le moment, nous serons seuls.

Un infirmier vient l'installer dans un fauteuil roulant. Il voit sa femme, il ne dit mot. Bientôt, il fait signe de la main de le ramener à sa chambre et il éclate en sanglots. Des sanglots profonds et saccadés, qui crient sa douleur. Il est tellement bouleversé que sa fille regrette de l'avoir amené. En arrivant à sa chambre, le médecin lui prescrit un tranquillisant.

À partir de ce moment, il refuse de parler et refuse de prendre ses médicaments. Il n'admet pas que sa femme soit morte avant lui, toute sa vie il avait prédit qu'il partirait le premier. Il a fait son testament et l'a nommée légataire universelle.

Les funérailles de grand-maman ont lieu à leur église paroissiale, le mercredi suivant, à neuf heures. Après le dîner communautaire les convives commencent à se disperser. Fernand décide de partir immédiatement avec sa femme. Ils laisseront le père James Corcoran à Québec en passant. À leur retour à Campbellton, le lendemain, la bonne, qui tient maison depuis deux semaines, donne sa démission.

Le vendredi matin un téléphone de Sherbrooke vient leur annoncer qu'André est mort. Il n'a pas survécu au choc du décès de sa chère Léona. Il est parti la retrouver.

Ils s'étaient aimés toute leur vie, d'un attachement sans faille, et la mort les a de nouveau réunis. C'était le vendredi 23 février 1962, à l'âge de soixante-dix-neuf ans moins un mois. Il était né le 23 mars 1883.

Table

Québec, Canada
2001